『となえて おぼえる 漢字の本』
～使いかた～

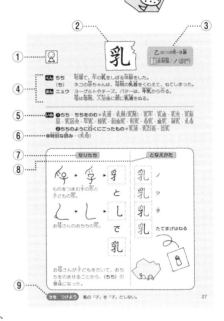

① 漢字ファミリーのシンボルマークです。下村式では、漢字をなりたちのテーマで12のグループに分けました。(258ページ「漢字ファミリー分類表」参照)

② 見出しの漢字です。本書では漢字を漢字ファミリーごとに、関係の深い順に配列してあります。

③ 部首・画数のほかに、「下村式 はやくりさくいん®」による、漢字の「型」と「書きはじめ」をしめしました。(253ページ参照)

④ 訓読みをひらがな、音読みをカタカナでしめしました。訓読みの細い字は送りがなです。( )は小学校で習わない読みかたです。

⑤ 漢字の意味と熟語例をしめしています。意味がいくつもある場合には❶❷…とし、意味ごとに熟語を分けてしめしました。

⑥ 読みや送りがなの注意です。
● 特別な読み…文化庁の定める「常用漢字表」の付表にのっている、特別な読みかたをすることばをしめしました。そのうち( )は小学校で習わないことばです。〈都道府県〉は都道府県名に使われる読みです。
● 読み方に注意…④にしめした読みかた以外で読むことばなどをしめしました。
● 送りがなに注意…使いかたによって送りがなに注意が必要なことばをしめしました。

⑦ 漢字が絵から、どのようにできたのかをしめしました。漢字のおおもとの意味や組みたてを、下村式独自の新しいくふうと解釈でわかりやすく説明しています。

⑧ 漢字の書き順の流れを、下村式の「口唱法®」で、絵かきうたのようにとなえながらおぼえられます。(232ページ「となえかたのやくそく」・266ページ参照)

⑨ この漢字を書くときの注意や、この漢字を使ったことばのクイズなどをのせました。小学校で習わない漢字がでてくることもあります。クイズの答えは、256ページにあります。

おうちの方へ●『となえて おぼえる 漢字の本』についてのくわしい説明は266ページを見てください。この本にもとづく『となえて かく 漢字練習ノート』で書きとりをして、読み書きの問題を解くと、さらに学習が深まります。

となえて おぼえる 下村式
漢字の本
改訂4版
小学6年生

下村 昇=著　まつい のりこ=絵

ほらあなの中に、
なにがあるのかな？

並 14	存 23	疑 32	吸 41	誠 51	尊 60	捨 69
仁 15	孝 24	頂 33	否 42	誤 52	異 61	拡 70
供 16	欲 25	預 34	舌 43	諸 53	承 62	担 71
俳 17	己 26	看 35	后 44	認 54	奏 63	揮 72
値 18	乳 27	視 36	善 45	誌 55	就 64	拝 73
俵 19	危 28	衆 37	聖 46	論 56	巻 65	探 74
傷 20	届 29	覧 38	討 48	訳 57	操 66	尺 75
優 21	展 30	臨 39	訪 49	誕 58	推 67	寸 76
姿 22	痛 31	呼 40	詞 50	警 59	批 68	専 77

射 78
収 79
将 80
段 81
敬 82
敵 83
党 84
律 85
従 86

延 87
遺 88
退 89
忠 90
恩 91
忘 92
憲 93
脳 96
胸 97

肺 98
腹 99
胃 100
腸 101
臓 102
背 103
骨 104
勤 105

革 106
至 107
翌 108

奮 109
難 110
蚕 111

賃 112
貴 113
卵 114

ほらあなのかべには、
漢字(かんじ)がいっぱい！

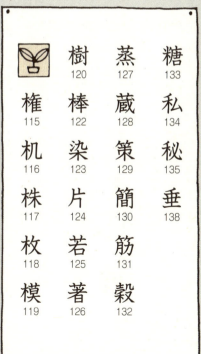

樹 120
権 115
机 116
株 117
枚 118
模 119

蒸 127
棒 122
染 123
片 124
若 125
著 126

糖 133
私 134
秘 135
垂 138

蔵 128
策 129
簡 130
筋 131
穀 132

厳 152
晩 153
暮 154
映 155
暖 156
朗 157
激 158
派 159

済 160
沿 161
洗 162
潮 163
泉 164
源 165
降 166
陛 167

障 168
除 169
郵 170
郷 171
砂 174
磁 175
針 176
銭 177

鋼 178
穴 179
窓 180
域 181
灰 182
熟 183

宇 143
宙 144
宝 145
宅 146
宗 142
層 139
閉 140
閣 141

密 148
庁 149
座 150
困 151
宣 147

盟 185	亡 187	券 189	割 191	刻 193	干 195	皇 197
処 184	盛 186	署 188	創 190	劇 192	冊 194	我 196

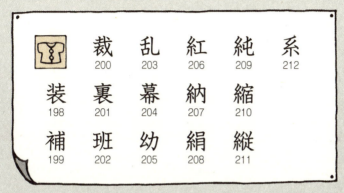

裁 200	乱 203	紅 206	純 209	系 212
装 198	裏 201	幕 204	納 207	縮 210
補 199	班 202	幼 205	絹 208	縦 211

こびとは、
漢字がわからない。
「どうしたらわかるかな？」

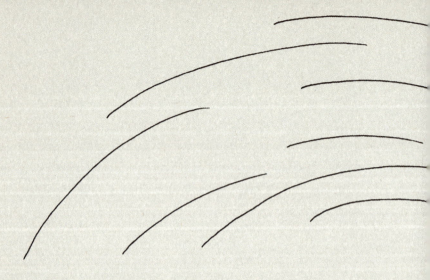

あれあれ、これはなんだろう？

「漢字(かんじ)はね、
絵(え)からできたんだよ。

ほらあなのおくへ、どんどんいくと、
どの漢字(かんじ)にも、
なりたち のところがあるから、
よく見(み)てごらん。」
と、もぐらがいいました。

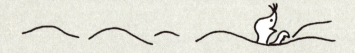

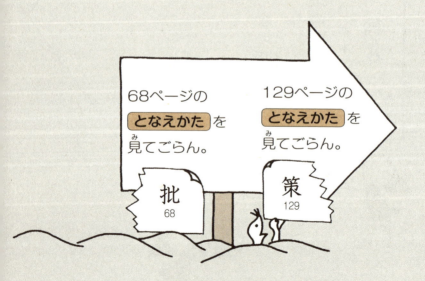

「 となえかた 」はね、漢字を
口でとなえながら、書けるように
してあるんだよ。」
と、もぐらがおしえてくれました。

さあ、もっとほらあなの
おくへいきましょう。

一(いち)の部・8画
□その他型／ヽ(てん)

- **くん** なみ　　犬を連れて、イチョウの並木道を散歩する。
  - ならべる　夕食のおかずをテーブルに並べるのは、ぼくの役目だ。
  - ならぶ　　始発電車に乗るために、ホームに四列に並ぶ。
  - ならびに　申し込み用紙に、氏名並びに年齢を明記する。
- **おん** (ヘイ)　二人のランナーが、並行して走っている。

- **いみ** ❶ならぶ・ならべる●並木・家並み・軒並み・町並み・並行・並列
  ❷あわせる・いっしょに●並製・足並み・十人並み・世間並み・月並み・手並み・人並み・並置・並立
- ●**送りがなに注意**…「足並み」「人並み」「世間並み」などは、「足並」「人並」「世間並」とは書かない。

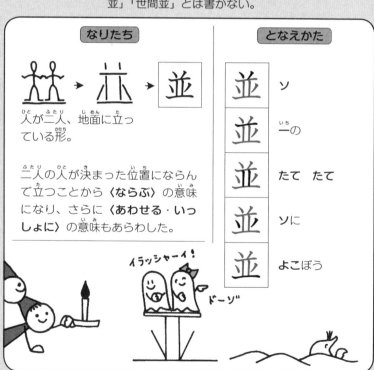

なりたち

人が二人、地面に立っている形。

二人の人が決まった位置にならんで立つことから〈ならぶ〉の意味になり、さらに〈あわせる・いっしょに〉の意味もあらわした。

となえかた

並　ソ
並　一の
並　たて　たて
並　ソに
並　よこぼう

つかいわけ　鉄道と道路が並行している。平行な直線を引く。

人(ひと)の部・4画
左右型／ノ(ななめぼう)

くん ——

おん ジン　シュバイツァーは、**仁**愛の心でアフリカの人びとを診療した。
あまりに**仁**義にはずれる行動は、つつしむべきだ。
（ニ）　**仁**王像のようにいかめしく立つことを、**仁**王立ちという。

いみ ほかの人にたいする思いやり・いつくしみの心 ● 仁愛・仁義・仁慈・仁者・仁術・仁心・仁政・仁道・仁徳・仁王・一視同仁・至仁

なりたち

人のよこ向きの形。

→ イ

と

数字の二の形で、二人のこと。

→ 二

で

→ 仁

二人が、おたがいに愛し、思いやるということから〈思いやり・いつくしみの心〉の意味をあらわす。

となえかた

仁　イをかいて（にんべんに）

仁　よこぼう2本したながく

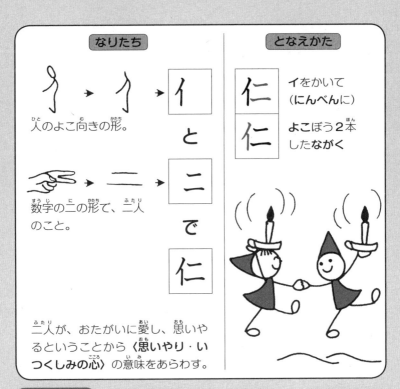

きを　つけよう　仁の下の横棒は上の横棒より長く書く。

人(ひと)の部・8画
左右型／ノ(ななめぼう)

くん そなえる　祖父の墓に家族でお参りして、花を**供える**。
　　　　　　　　仏だんに、**お供え**の菓子やくだものをおく。
　　　とも　　　兄の買い物の**お供**で、ショッピングセンターにいく。
おん キョウ　　黙秘していた容疑者が、犯行を全面的に**自供**した。
　　　（ク）　　お彼岸には墓参りなどをして、先祖の霊を**供養**する。

いみ ❶そなえる・ささげる●供物・供養　❷ものをさしだす・やくだてる●供給・供出・提供　❸きかれたことをのべる●供述・自供

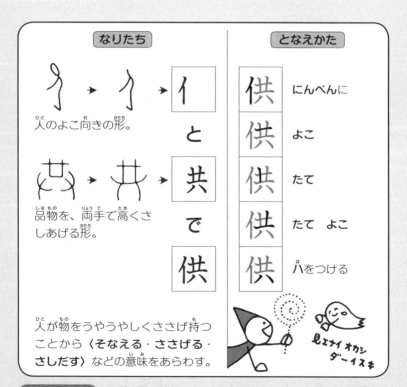

なりたち

彳 → 亻 → イ
人のよこ向きの形。

と

廾 → 共 → 共
品物を、両手で高くさしあげる形。

で

供

人が物をうやうやしくささげ持つことから〈そなえる・ささげる・さしだす〉などの意味をあらわす。

となえかた

供　にんべんに
供　よこ
供　たて
供　たて　よこ
供　ハをつける

見ヨナイ オカシ ダーイスキ

つかいわけ　お墓に花を**供える**。災害に**備える**。

16

俳

人(ひと)の部・10画
左右型／ノ(ななめぼう)

くん ――

おん ハイ　デパートのイベントで、有名な**俳優**さんのサインをもらった。
芭蕉は江戸時代の**俳人**、正岡子規は明治時代の**俳人**だ。
初雪という季題で**俳句**をよむ宿題がでた。

いみ ❶おもしろい芸をする人・役者●俳優　❷風流なことば・おもしろみのあるうた●俳画・俳諧・俳句・俳号・俳人・俳壇・俳文・俳名・俳友

なりたち

亻 → 亻
人のよこ向きの形。

と

非 → 非
飛んでいるときの鳥のはねが、たがいに反対に向いている形で、ふつうでないこと。

で

俳

人前でおもしろい芸をみせるのは、ふつうできない。それを仕事にする人のことから〈芸をする人・役者〉などの意味になった。

となえかた

俳　にんべんに
俳　たてたノ
俳　よこ3本
俳　たて
俳　よこ3本

きを つけよう　俳と似ている字…排

人（ひと）の部・10画
左右型／ノ（ななめぼう）

くん ね　　マツタケの**値段**が高いのは、人工栽培ができないからだ。
　　　　　　私鉄の運賃が、四月からいっせいに**値上**げされた。
　（あたい）　人命救助は、称賛に**値**する尊いおこないだ。
おん チ　　人間の**価値**は、顔や能力だけでは決められない。

いみ ❶**あたい・ねうち**●値上がり・値上げ・値打ち・値下がり・値下げ・値段・値引き・売値・買値・高値・安値・価値　❷**数の大きさ**●数値・絶対値・平均値

なりたち

彳 → 亻 → イ
人のよこ向きの形。

悳 → 直 → 直
十人の目と、にげるしるしで、じっと見つめて、みきわめること。

イ と 直 で 値

人や物の価値をきちんとみきわめることで、〈あたい・ねうち〉の意味をあらわした。

となえかた

値　にんべんに
値　よこ　たて
値　目をかき
値　たてまげる

つかいわけ　一読に**値**する本。土地の**価**が上がる。

人(ひと)の部・10画
左右型／ノ(ななめぼう)

くん たわら　むかしは、米や塩、炭などを、俵につめて保管した。
おすもうさんが力くらべで、米俵を三つも持ち上げた。

おん ヒョウ　土俵では、両力士の熱戦がくりひろげられている。
一俵の米は、重さでいえば六十キログラムだ。

いみ たわら・わらや、かやであんだ大きなふくろ ● 俵物・米俵・炭俵・一俵・土俵

なりたち

人のよこ向きの形。

毛でできた上着のことで、おもてのこと。

もとは、人が着る上着のおもてのことだったが、のちに、米や麦などを入れるふくろのおもて、つまり〈たわら〉の意味になった。

となえかた

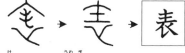

にんべんに（イをかいて）

よこ　たて
よこ　よこ

イのたてはねて

左にはらって

右ばらい

きを つけよう　俵の「主」を「土」としない。

人(ひと)の部・13画
左右型／ノ(ななめぼう)

- **くん** きず　　傷口は水道水でよごれを落とし、ばんそうこうをはる。
　　　　　　　　ガラスの食器は、たわしでごしごし洗うと傷がつく。
- （いたむ）　　夏は食べ物が傷みやすいので、なるべく冷蔵庫に入れる。
　　　　　　　　家具を窓ぎわに置くと、直射日光で傷む。
- （いためる）　ネコがつめをといで、柱を傷めてしまった。
- **おん** ショウ　鉄ぼうから落ちたが、ひざの外傷だけですんだ。

いみ ❶きず・けが・きずつける●傷口・切り傷・生傷・古傷・無傷・傷害・傷病・外傷・軽傷・死傷・重傷・損傷・負傷　❷心をいためる・かなしむ●傷心・感傷・中傷

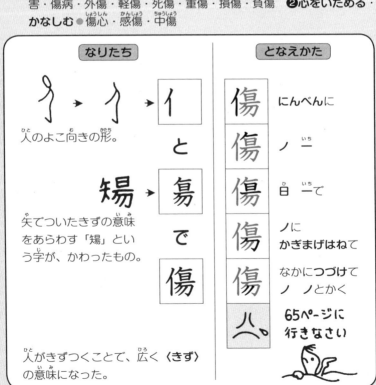

つかいわけ　　雪の重みで屋根が傷む。虫歯が痛む。

人(ひと)の部・17画
左右型／ノ(ななめぼう)

くん （やさしい） わたしは、心の**優**しい人が好きだ。
母が**優**しくほほえむときは、たいていなにか裏がある。
（すぐれる） 犬はにおいを感じる能力が**優**れている。
おん ユウ 高校野球の地区予選で、兄のチームが**優勝**した。
声優になって、外国の映画の吹き替えをやりたい。

いみ ❶やさしい・上品● 優雅・優美 ❷すぐれている● 優位・優越・優秀・優勝・優勢・優等・優良・優劣 ❸てあつい● 優遇・優先・優待 ❹役者● 女優・声優・男優・俳優・名優・老優

なりたち

人のよこ向きの形。 → イ

人の顔と心と足の形から、心のこもった人をあらわし、ふるまいのしとやかなこと。 → 憂

と

で

優

しとやかにふるまう人のことから〈やさしい・上品・役者〉などの意味をあらわした。

となえかた

優 にんべんに
優 一 ノ たて かぎ よこ2本
優 ワに
優 心で
優 クに右ばらい（なつあしをかく）

オバケノ字ダヨ

きを つけよう 優の「夂」を「欠」としない。

女(おんな)の部・9画
上下型／丶(てん)

くん すがた　後ろ姿を見ただけで、母だとわかった。
　　　　　姿見に全身を映して、きちんと服装をなおす。
おん シ　　勉強をするときは、姿勢をただすと集中できる。
　　　　　バレリーナの美しい姿態。

いみ すがた・かたち・ありさま ● 姿見・後ろ姿・絵姿・旅姿・晴れ姿・姿勢・姿態・英姿・風姿・雄姿・容姿

なりたち

資 → 次

「資」を略したもので、大切なもののこと。

🐚 → 🐚 → 女

女の人がすわっている形。

次 と 女 で 姿

人間にとって、もっとも大切なものは命であるが、女の人にとっては、すがたや形も大事だということから〈すがた・かたち〉の意味をあらわす。

となえかた

姿　ンをかき
姿　ノ フと つづけて
姿　人をかき
姿　したにく ノ 一 女をつける

きを つけよう　姿の「ン」を「氵」としない。

子(こ)の部・6画
□ その他型／一(よこぼう)

くん ——
おん ソン　ニュートンは、万有引力の**存在**を発見した。
　　　ゾン　夏休みの最後の日は、海で**思う存分**楽しんだ。

いみ ❶**あること・いること**●存在・存否・存亡・共存(共存)・現存(現存)・残存・実存・生存　❷**たもっていること**●存続・存置・存廃・存命・存立・温存・保存　❸**思う・考える**●存外・存念・存分・依存(依存)・一存・所存

なりたち

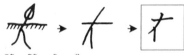

土の中に根を張って、芽をだした形。

赤んぼうの形。

と

で

存

赤んぼうとして生まれてはじめて「いる」(存在する)といわれるように、植物も芽をだすことで「ある」とみとめられる。そこから〈**あること・いること**〉の意味をあらわす。

となえかた

存	よこ一
存	イをかき
存	子をつける

きを　つけよう　存と似ている字…在

子(こ)の部・7画
上下型／一(よこぼう)

くん ——
おん コウ　大きくなったら、一生懸命に働いて、**親孝行**をしよう。
この物語の主人公の、厚い**孝心**にうたれた。
孝道を守ることが大切なのは、いつの世も変わらない。

いみ 父母をたいせつにすること●孝行・孝子・孝女・孝心・孝弟・孝道・孝養・親孝行・至孝・仁孝・大孝・忠孝・二十四孝・不孝者

なりたち

つえをついた年よりの形。

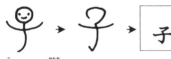
子どもの形。

と

屮

子

で

孝

子どもが年をとった父母を背おう形から〈父母をたいせつにする〉という意味をあらわす。

となえかた

孝　よこ　たて
　　よこて

孝　ノをかいて

孝　したから子どもがもちあげる

きを つけよう　孝と似ている字…考・老

欠(あくび)の部・11画
左右型／ノ(ななめぼう)

くん (ほっする) 式典には、平和を心から**欲する**人たちが集う。
(ほしい) 中学生になったら、新しい自転車を買って**欲しい**。
漢字の書き取り練習に使うノートが**欲しい**。

おん ヨク **食欲**の秋は、なにを食べてもおいしい。
ブッダは、**欲得**をはなれ、執着を捨てよと説いた。

いみ ほっする・ほしがる・よく●欲得・欲念・欲張り・欲望・欲目・欲求・意欲・我欲・強欲・私欲・食欲・知識欲・貪欲・物欲・無欲・利欲

クイズ □利□欲 □に入る同じ漢字は？ ①市 ②志 ③私

己(おのれ)の部・3画
□その他型／一(よこぼう)

くん　（おのれ）　ぼくは妹の涙を見て、はじめて己のあやまちをさとった。
　　　　　　　　　　己の信じる道をいくというのは、かんたんではない。
おん　コ　　　　　転校生が、みんなの前ではずかしそうに自己紹介をした。
　　　　　　　　　　利己的な考えをもっていては、クラスの和は生まれない。
　　　　（キ）　　　克己心をやしなうために、剣道は最適だといわれる。

いみ　じぶん・わたくし　●己身・一己・克己心・自己・知己・利己

なりたち	となえかた

ひざをおって、ひれふしている形。

かたかなの
コに

たてまげはねる

相手にたいして、こしをひくくしている形から〈じぶん・わたくし〉の意味をあらわした。

己を「已」としない。

乙(おつ)の部・8画
左右型／ノ(ななめぼう)

- **くん** ちち　牧場で、牛の乳をしぼる体験をした。
- （ち）　ネコの赤ちゃんは、母親の乳首をくわえて、ねてしまった。
- **おん** ニュウ　ヨーグルトやチーズ、バターは、牛乳から作る。
  母は毎晩、入浴後に顔に乳液をぬる。

いみ ❶ちち・ちちをのむ●乳首・乳房(乳房)・乳牛・乳歯・乳児・乳製品・乳幼児・牛乳・授乳・脱脂乳・粉乳・母乳・離乳・練乳・乳母
❷ちちのように白くにごったもの●乳液・乳白色・豆乳
●**特別な読み**…(乳母)

きを つけよう　乳の「子」を「子」としない。

27

卩(ふしづくり)の部・6画
□その他型／ノ(ななめぼう)

- **くん** あぶない　道路の近くで遊ぶのは、**危ない**ので、やめよう。
  - （あやうい）　妹は海でおぼれかけたが、**危うい**ところを助けられた。
  - （あやぶむ）　雨の影響で、運動会の開催が**危ぶまれる**。
- **おん** キ　　　がけくずれの**危険**がある場所は、立ち入り禁止だ。

いみ ❶あぶない●危機・危急・危険・危地・危篤・危難　❷そこなう・きずつける●危害

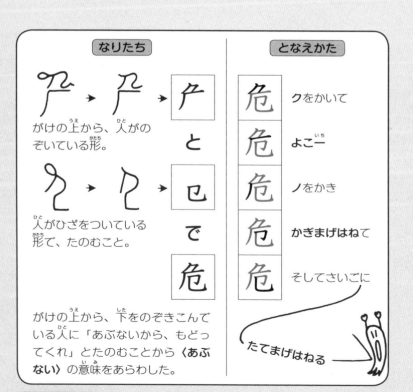

28　きを つけよう　「**危**ない」は「**危**い」としない。

尸（しかばね）の部・8画
上下型／一（よこぼう）

くん とどける　落としものを拾ったら、すみやかに交番に**届ける**。
　　　　　　　母は毎朝、車で父を駅まで**送り届ける**。
　　　 とどく　　山形の祖母から、高級なさくらんぼが**届く**。
　　　　　　　この旅館は、なにかとサービスが**行き届い**ている。

おん ──

いみ とどける・とどく・とどけ ●届け先・届け出・欠席届・婚姻届・死亡届・出生届・脱退届・付け届け・転出届・不届き・不行き届き
●**送りがなに注意**…「欠席届」「出生届」などの「届」は、「届け」とは書かない。

なりたち

人がよこたわっている形。

枝に、くだものや木の実がたれさがった形。

病気でよこたわっている人に、くだものを持っていくことから〈とどける〉の意味をあらわす。

となえかた

届　コ
届　ノとかき
届　たて　かぎ
届　たてで
届　よこ2本

きを　つけよう　届の「由」を「田」「甲」「申」としない。

尸(しかばね)の部・10画
上下型／一(よこぼう)

くん ――
おん テン

高さ三百五十メートルの**展望台**から、町をながめる。
ミカン畑と茶畑が、なだらかな山すそに**展開**している。
図工室にいくとちゅうのかべに、六年生の絵が**展示**されている。

いみ ひろげならべる・のびひろがる ● 展開・展観・展示・展望・展覧会・個展・作品展・出展・伸展・進展・親展・発展

きを つけよう 展の「尸」を「戸」としない。

疒（やまい/だれ）の部・12画
□その他型／丶（てん）

くん いたい　　きのう、生ガキを食べてから、おなかが**痛い**。
　　　いたむ　　遠い外国へひっこす友とのつらい別れに、心が**痛む**。
　　　いためる　登山の途中、木の根につまずいて、足を**痛めた**。
おん ツウ　　天気がわるい日は、なんだか**頭痛**がする。
　　　　　　　今回の試合で、相手チームとの力の差を**痛感**した。

いみ ❶**いたむ**●痛手・苦痛・激痛・歯痛・神経痛・頭痛・腹痛・無痛・腰痛　❷**心がいたむ・かなしむ**・心痛・沈痛・悲痛　❸**ひじょうにつよく・ひどく**●痛快・痛感・痛切・痛烈

なりたち

人が病気になって、ねている形。

→ 疒 と

人が、板にくぎをつきとおしている形。
→ 甬 で

→ 痛

病気になった人が、からだにくぎをさされたように、いたがることから〈**いたむ・かなしむ**〉の意味をあらわした。

となえかた

痛	てん 一
痛	ノをかき
痛	ンをつけ
痛	マをかいたら
痛	用をかく

やまいだれ に マ用！

つかいわけ　災害のニュースを見て心が**痛**む。放置したバナナが**傷**む。

疋(ひき)の部・14画
左右型／ノ(ななめぼう)

- **くん** うたがう　どのような情報も、真実かどうか**疑う**ことがだいじだ。
疑い深い人には、真の友人はできないという。
- **おん** ギ　ラジオの電話相談の先生は、どんな**疑問**にも答える。
UFOを見たという話を、みんな**半信半疑**で聞いている。

- **いみ** うたがう・まよう ● 疑似・疑心・疑点・疑念・疑問・疑惑・懐疑・嫌疑・質疑・遅疑・半信半疑・容疑

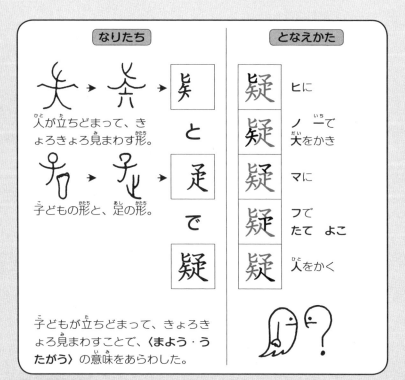

なりたち

人が立ちどまって、きょろきょろ見まわす形。

子どもの形と、足の形。

と

で

疑

子どもが立ちどまって、きょろきょろ見まわすことで、〈まよう・うたがう〉の意味をあらわした。

となえかた

疑　ヒに
疑　ノ一で大をかき
疑　マに
疑　フでたて　よこ
疑　人をかく

きを つけよう　「疑う」は「疑がう」としない。

頁（おおがい）の部・11画
左右型／一（よこぼう）

くん いただく　苦労して書いた作文のできを、先生にほめて**頂**いた。
　　　　　　　　母が留守にする日は、おじの家で夕食を**頂**く。
　　　いただき　長い時間をかけて、ついに山の**頂**にたどりついた。
おん チョウ　　めざす富士山の**頂上**まで、あとひといきだ。

いみ いただき・もののいちばんたかいところ ● 頂角・頂上・頂点・有頂天・円頂・山頂・絶頂・天頂・登頂

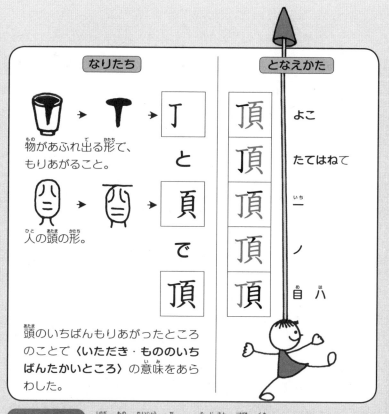

なりたち

物があふれ出る形で、もりあがること。

人の頭の形。

丁 と 頁 で 頂

頭のいちばんもりあがったところのことで〈いただき・もののいちばんたかいところ〉の意味をあらわした。

となえかた

よこ
たてはねて
一
ノ
目　ハ

きを　つけよう　**頂**き物の礼状を出す。富士山の**頂**に雲がかかる。

頁（おおがい）の部・13画
左右型／一（よこぼう）

くん あずける　インコをとなりの家に**預けて**、旅行にいく。
　　　　　　　　決勝戦の試合結果は、審判に**預けられた**。
　　　あずかる　鉄道の運転士は、多くの人命を**預かる**責任の重い職業だ。
　　　　　　　　きみたちのけんかは、このぼくが**預かって**おく。
おん ヨ　　　お年玉はむだづかいをしないで、銀行に**預金**する。

いみ あずける・あずかる ● 一時預け・預金・預託・定期預金

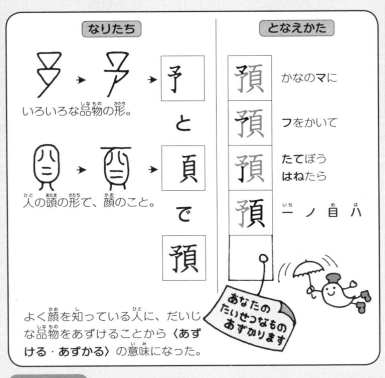

なりたち

いろいろな品物の形。　予
人の頭の形で、顔のこと。　頁
と　で　預

よく顔を知っている人に、だいじな品物をあずけることから〈あずける・あずかる〉の意味になった。

となえかた

預　かなのマに
預　フをかいて
預　たてぼうはねたら
預　一ノ目ハ

あなたのたいせつなものあずかります

きを　つけよう　預の「予」を「矛」としない。

目(め)の部・9画
□ その他型／ノ(ななめぼう)

くん ―
おん カン

母の手厚い**看病**のおかげで、祖母の病気は全快した。
危険な反則を**看過**することはできない。
校門の前に、入学式と大きく書かれた**看板**がたてられた。
姉の夢は、**看護師**になって人の命をすくうことだ。

いみ よくみる・みまもる● 看過・看護・看守・看取・看破・看板・看病

なりたち

手の形。
目の形。

手 と 目 で 看

目の上に手をかざして、遠くをみることから〈よくみる・みまもる〉という意味をあらわした。

となえかた

看 ノをかいて
看 よこぼう2本
看 ノをたてて
看 たてぼうかぎでよこ3本

きを つけよう　看の「目」を「日」としない。

見(みる)の部・11画
左右型／ヽ(てん)

くん ——

おん シ　山道を登りきると、**視界**が開けて街のタワーが見えた。
明日、市長が学校の改修工事の状況を**視察**に来るそうだ。
この問題を解くには、**視点**を変えて考えることが必要だ。

いみ みる・気をつけてみる ● 視界・視覚・視察・視線・視聴覚・視点・視野・視力・遠視・監視・近視・軽視・検視・巡視・正視・注視・敵視・無視

なりたち

神をまつるときにつかう台の形。

人の目を大きくかいた形で、見ること。

→ 視

神におそなえをして、目をみひらき、真剣にいのることから〈**みる・気をつけてみる**〉の意味をあらわした。

となえかた

視　ネをかいて

視　目のしたに

視　ひとあしつける

きを　つけよう　視の「見」を「貝」としない。

血(ち)の部・12画
□その他型／ノ(ななめぼう)

くん ——

おん シュウ　このレストランは**大衆**的なので、気どらずにはいれる。
　　　　　　演奏が終わると、**聴衆**から拍手が巻き起こった。
　　（シュ）町内の**若い衆**がおみこしをかついで、祭りをもりあげる。

いみ おおい・おおくの人 ● 衆議一決・衆議院・衆人・衆人環視・衆知・衆望・衆目・衆生・合衆国・観衆・群衆・公衆・大衆・聴衆・民衆・若い衆

なりたち

とびだした目玉の形。

と

人が三人の形で、大ぜいのこと。

血

㐺

で

衆

大ぜいの人の目のことから〈おおい・おおくの人〉の意味をあらわした。

となえかた

衆	ノに たて　かぎで
衆	たて　たて よこぼう
衆	イに
衆	ノを　ふたつ
衆	左右にはらう

きを　つけよう　衆の「血」を「皿」としない。

見(みる)の部・17画
上下型／1(たてぼう)

くん ―

おん ラン

学校の**展覧会**に出品する絵が完成した。
湖を**遊覧船**で一周するルートのとちゅうに、女神像がある。
子ども会の花火大会のお知らせを**回覧**する。
夏休みの宿題で、都道府県別のおもな産物の**一覧表**を作る。

いみ みる・みわたす ● 一覧・閲覧・回覧・観覧・縦覧・巡覧・照覧・上覧・通覧・展覧会・博覧会・便覧(便覧)・遊覧船・歴覧

なりたち

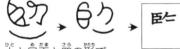

人と目玉と皿の形で、水のはいったいれものを上からのぞくこと。

人の上に大きな目がついた形で、見ること。

臣𠂉 と 見 で 覧

水かがみで自分のすがたを見ることに、もう一つ「見」をつけて〈みる・みわたす〉と意味をつよめた。

となえかた

覧	たて よこ
覧	チョン コ チョン よこ
覧	ノ 一に よこで
覧	したにおおきく見るをかく

きを つけよう 覧と似ている字…賢

臣(しん)の部・18画
左右型／｜(たてぼう)

くん (のぞむ)　将来は、海岸に**臨む**家に住むのが夢だ。
　　　　　　　　平常心で本番に**臨む**ことが、なによりも大切だ。
おん リン　　　重大なできごとは、**臨時**ニュースで報道される。

いみ ❶みおろす・のぞむ・……にちかい● 臨海学校・臨海工業地帯
❷身分の高い人が出向くこと● 臨席・君臨・降臨・来臨　❸あたる・
その場にいあわせる● 臨画・臨機応変・臨時・臨終・臨書・臨床・
臨場

なりたち

けらいを上から見おろしている形。

と

三つの口の形で、大ぜいのこと。

で

臨

大ぜいのけらいたちを、身分の高い人が見おろしている形で〈みおろす・のぞむ〉の意味をあらわした。

となえかた

臨　たて よこ
臨　たてで コに
臨　たて よこぼう
臨　ノ ーと つづけて
臨　口 みっつ

つかいわけ　成人式に**臨む**。丘の上から町並みを**望む**。

口（くち）の部・8画
左右型／｜（たてぼう）

くん よぶ　来週、近所の友人を家に**呼**んで、誕生会を開く。
犬のジョンは、口ぶえをふいて**呼**ぶと、すぐにやってくる。

おん コ　動物も植物も、**呼吸**をして生きている。
バスに乗る前に、班長が**点呼**をとって、人数を確認する。

いみ ❶**はく息・息をはく**●呼気・呼吸　❷**よびかける・さけぶ**●呼び声・呼び捨て・呼び鈴・呼応・歓呼・指呼・点呼・連呼　❸**名づける**●呼称　❹**さそいだす・まねく**●呼び水

なりたち

口をあけている形。

と

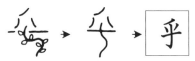
さえぎられていたものがのびて、おしひろげられること。

で

呼

口から息をわーっと強くはきだすことで、大声をだして〈**息をはく・さけぶ**〉という意味になった。

となえかた

口へんに
（口をかき）

ノソ

よこ一で

たてまげはねる

きを つけよう　呼の「乎」を「平」としない。

口（くち）の部・6画
左右型／丨（たてぼう）

くん すう　高原のきれいな空気を**吸う**と、つかれがふきとぶ。
スポンジが水を**吸う**のは、中に空間がたくさんあるからだ。

おん キュウ　強い**吸引**力を持つ、新型の電気掃除機が発売された。
本をたくさん読んで、さまざまな知識を**吸収**する。

いみ **ひきつける・すいこむ・息をすう** ● 吸い口・吸い取り紙・吸い物・吸引・吸気・吸血鬼・吸収・吸着・吸入・吸盤・呼吸

なりたち

口をあけている形。

と

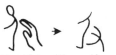

人と右手の形で、前の人を後ろの人が追いかけ、追いつくこと。

で

吸

口をあけていると、空気がつぎつぎと追いかけるようにして入ってくることから〈息をすう・すいこむ〉の意味になった。

となえかた

吸　口へんに
　　（口をかき）

吸　ノに

吸　フをつづけたら

吸　右ばらい

きを　つけよう　吸の「ゥ」は一筆で書く。

口(くち)の部・7画
上下型／一(よこぼう)

くん (いな)　その仕事が自分にできるか否かを、よく考える。
おん ヒ　　ぼくの案は、多数決によって否決された。
　　　　　　ダムの建設に関しては、賛否両論の意見がある。

いみ ❶うちけす・うちけしのことば ●否決・否定・否認・拒否　❷はんたい ●安否・可否・許否・合否・賛否・真否・成否・正否・存否・諾否・適否・当否・良否

なりたち

鳥が天にむかって飛んでいった形。

口の形で、よぶこと。

不 と 口 で 否

飛びさった鳥を大声でよんでも、かえってこないということから、「～でない」と〈うちけす・はんたい〉の意味をあらわした。

となえかた

否　よこ一
否　イに
否　てん
否　口つける

クイズ　賛否□論　□に入るのは？　①両　②二　③双

舌(した)の部・6画
□その他型／ノ(ななめぼう)

くん した　おさない弟は、まだ舌がよくまわらない。
　　　　　相手チームのあまりの強さに、舌を巻いた。
おん (ゼツ)　候補者どうしの**舌戦**をみようと、駅前に人が集まった。
　　　　　試合に負けたときのくやしさは、**筆舌**につくしがたい。

いみ ❶した ●舌打ち・舌先・舌鼓・巻き舌・舌端・舌頭　❷いう・しゃべる・ことば ●舌代・二枚舌・舌戦・口舌・長広舌・毒舌・筆舌・弁舌

なりたち	となえかた
 「した」で、上くちびるをなめている形。 物をなめるとき、くちびるをおしのけて外へつきだしてくる物の形から〈した〉の意味をあらわす。	舌　ノ 舌　よこ 舌　たてで 舌　口をかく

クイズ　「舌を巻く」の意味は？　①おどろく　②悲しむ　③よろこぶ

口（くち）の部・6画
□その他型／ノ（ななめぼう）

くん ――
おん コウ　春と秋の園遊会は、**天皇皇后**両陛下が主催される。
前の天皇の**皇后**だった人を、**皇太后**とよんでいる。
皇后を正式に定めることを、**立后**という。
則天武后は、中国のただ一人の女帝として知られている。

いみ きさき ● 后宮・后妃・王后・皇后・皇太后・西太后・則天武后・太皇太后・母后・立后

なりたち

反対向きの人の形で、後ろのこと。

口の形で命令すること。

ア と 口 で 后

命令をくだす君主の後ろにいる人のことから〈きさき〉の意味をあらわした。

となえかた

后　ノノ
后　よこぼうで
后　口をかく

きを つけよう　后の「口」を「日」としない。

口（くち）の部・12画
上下型／丶（てん）

- **くん** よい　善いことをしたあとは、とても気持ちがよい。
- **おん** ゼン　人の善意は、すなおに受け入れるべきだ。
　　　　サッカーの国際親善試合を、テレビで見る。

いみ ❶よい・ただしい・りっぱ・よくする ●善悪・善意・善行・善処・善政・善戦・善人・善良・改善・最善・独善　❷なかよくする ●善隣・親善

なりたち
羊の形と、口からでることばの形。

羊のようにおとなしく、美しいことばということから〈よい〉の意味をあらわした。

となえかた
- ソに
- よこ3本
- たてをだし
- ソ一とつづけて
- したに口

よこぼうにひらたい口でたて2本よこぼうひいて心を下に

つかいわけ　世のためになる善いおこない。品質が良い。

耳(みみ)の部・13画
上下型／一(よこぼう)

くん ——
おん セイ　人生をかけて音楽を追求したベートーベンは楽聖とよばれる。
最終ランナーがスタジアムに到着し、聖火台に火がついた。

いみ ❶知識や人格がたいへんすぐれている人●聖賢・聖人・聖誕・聖典・大聖　❷それぞれの方面で、きわめてすぐれた人●楽聖・歌聖・画聖・詩聖　❸けがれなくきよらかなこと●聖域・聖火・聖地・神聖　❹キリスト教できわめてとうといこと●聖歌隊・聖書・聖母・聖夜

なりたち

耳の形と、口の形。

耴

と

荷物をせおって、自分のつとめを正しくはたすこと。

王

で

聖

人のいうことばを聞いてさとり、そのとおりに、つとめをきちんとはたせる人のことから〈すぐれた人〉の意味になった。

となえかた

聖　よこ　たて
　　よこ　よこ

聖　もちあげ

聖　たてぼう

聖　右に口をかき

聖　よこ　たて
　　よこ　よこ
　　王をかく

コノページハ イイネエ

クイズ　聖－耳－口＋白＝?

《よくばりクイズ》

目…板(いた)には、これがありますよ。

路…せまい通(とお)りだよ。

旗…そうじをしてください。

素…ふまないでね。

毛…あら、何(なに)を売(う)ったのかしら。

「目(め)」は、「モク」という音読(おんよ)みと「め」という訓読(くんよ)みがあるから、よくばって二(ふた)つつづけると「モクめ」。

クイズをやってごらん。

こたえは
142ページ

言(げん)の部・10画
左右型／ヽ(てん)

くん (うつ)
源頼朝は藤原氏を**討つ**ため、奥州にせめこんだ。
忠臣蔵は、四十七人の浪士が、主君のかたきを**討つ**物語だ。

おん トウ
買い物をする前に、本当に必要かどうかを**検討**する。
中大兄皇子は中臣鎌足と共に、蘇我入鹿を**討伐**した。

いみ ❶たずねる・しらべる●討議・討論・検討 ❷うつ・せめる●討ち入り・討ち死に・手討ち・同士討ち・夜討ち・討幕・討伐・征討・追討

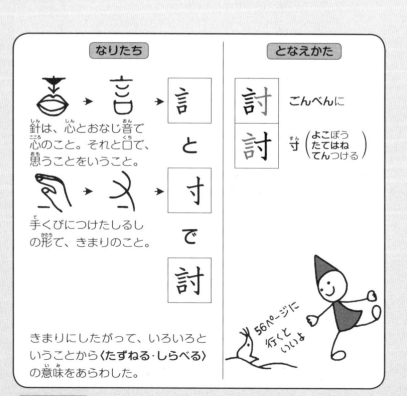

なりたち

針は、心とおなじ音で心のこと。それと口で、思うことをいうこと。

手くびにつけたしるしの形で、きまりのこと。

きまりにしたがって、いろいろということから〈たずねる・しらべる〉の意味をあらわした。

となえかた

討　ごんべんに
討　寸（よこぼう／たてはね／てんつける）

56ページに行くといいよ

つかいわけ　かたきを**討**つ。大粒の雨が地面を**打**つ。

言(げん)の部・11画
左右型／ヽ(てん)

くん たずねる　　一年生のときの友だちの家を、ひさしぶりに**訪ねる**。
　　　　　　　　　旅行先で、江戸時代にあった城跡を**訪ね**た。
　（おとずれる）　京都には毎年、多くの観光客が**訪れる**。
おん ホウ　　　　祖母の家を**訪問**すると、ケーキを出してくれる。
　　　　　　　　　ドイツの首相が**訪日**して、日独首脳会談をおこなう。

いみ 人をたずねる・おとずれる ● 訪客・訪日・訪米・訪問・往訪・探訪・来訪者・歴訪

きを つけよう　「訪れる」は「おとずれる」としない。

言(げん)の部・12画
左右型／ヽ(てん)

くん ──
おん シ

自分で**作詞**作曲をした曲を、ピアノでひき語りする。
県知事がきて、小学校の創立百周年の**祝詞**をのべた。
物の名まえをあらわすことばを**名詞**という。

いみ ❶**ことば・詩や文のことば**● 詞章・歌詞・作詞・祝詞・祝詞 ❷**文法のことば**● 形容詞・助詞・助動詞・接続詞・動詞・品詞・副詞・名詞

●**特別な読み**…(祝詞)

きを つけよう　詞の「司」の「口」を「日」としない。

言(げん)の部・13画
左右型／ヽ(てん)

くん （まこと） 誠をつくして説得すれば、母はわかってくれる。
手紙にご返信をくださり、誠にありがとうございます。

おん セイ　父は誠実な人がらで、会社の人たちに信頼されている。
十二人の騎士は、王に忠誠をちかった。

いみ まこと・まごころ・うそやごまかしのない ● 誠意・誠実・誠心・誠信・誠切・至誠・赤誠・丹誠・忠誠・熱誠

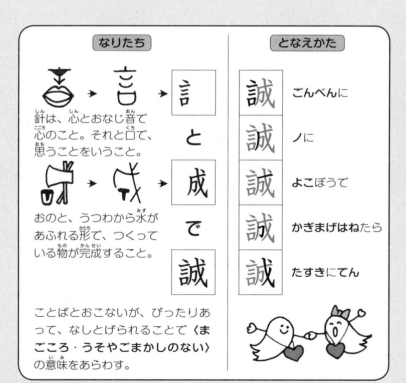

なりたち

針は、心とおなじ音で心のこと。それと口で、思うことをいうこと。

言 と

おのと、うつわから水があふれる形で、つくっている物が完成すること。

成 で 誠

ことばとおこないが、ぴったりあって、なしとげられることで〈まごころ・うそやごまかしのない〉の意味をあらわす。

となえかた

誠　ごんべんに
誠　ノに
誠　よこぼうて
誠　かぎまげはねたら
誠　たすきにてん

クイズ　□から出た誠　□に入るのは？　①けが　②うそ　③ごみ

言(げん)の部・14画
左右型／丶(てん)

くん あやまる
火は使い方を誤ると危険で、大きな事故にもつながる。
兄が誤った考えを改めないかぎり、許すことはできない。

おん ゴ
写真家のおじからの手紙には、誤字が多い。
父は、本の誤植を見つけるのが得意だ。
友人との間の誤解がとけて、仲直りすることができた。

いみ まちがえる・あやまり ● 誤解・誤記・誤差・誤算・誤字・誤植・誤信・誤審・誤診・誤伝・誤読・誤認・誤報・誤訳・誤用・過誤・錯誤・正誤

なりたち

針は、心とおなじ音で心のこと。それと口で、思うことをいうこと。

さけびながら首をふっておどりくるうこと。

言 と 呉 で 誤

おどりくるっているときにいったことは、正しくはないので〈まちがえる〉という意味をあらわす。

となえかた

誤 ごんべんに
誤 口をかいたら
誤 たて よこまげて
誤 よこぼう ひいたら
誤 ハをつける

いちばん えらいのは オバケ

つかいわけ 計算を誤る。ごめんなさいと謝る。

言(げん)の部・15画
左右型／丶(てん)

くん ―
おん ショ　諸君の健闘を祈る、ということばで先生の話は終わった。
両国の間の諸問題を解決するため、話し合いが続いている。

いみ いろいろな・おおくの・たくさんある ● 諸君・諸兄・諸国・諸子・諸氏・諸事・諸式・諸種・諸所・諸説・諸相・諸島・諸派・諸般・諸費・諸方・諸問題

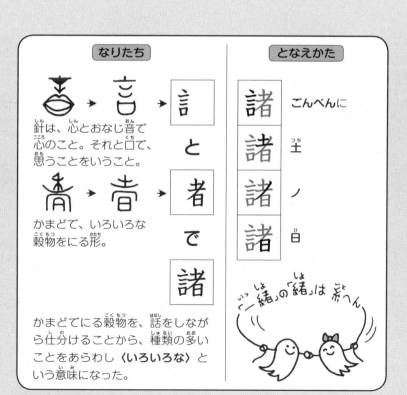

なりたち

針は、心とおなじ音で心のこと。それと口で、思うことをいうこと。

かまどで、いろいろな穀物をにる形。

言 と 者 で 諸

かまどでにる穀物を、話をしながら仕分けることから、種類の多いことをあらわし〈いろいろな〉という意味になった。

となえかた

諸　ごんべんに
諸　土
諸　ノ
諸　日

「一緒」の「緒」は糸へん

クイズ　諸行□常　□に入るのは？　①無　②非　③不

言(げん)の部・14画
左右型／丶(てん)

くん みとめる
たしかに十分ほど前、窓の外に人かげを**認**めた。
母はどんなときにも、わたしの努力を**認**めてくれる。

おん (ニン)
夏休みの宿題の進行状況を**確認**する。
新薬が**認可**されて世に出るまでには、長い年月がかかる。
歴史を学んで、世界平和への**認識**を新たにする。

いみ みとめる・ゆるす・みわける ● 認め印・認可・認識・認証・認知・認定・確認・公認・誤認・再認・自認・承認・是認・否認・黙認・容認

きを つけよう　認の「刃」を「刀」としない。

言(げん)の部・14画
左右型／丶(てん)

くん ──
おん シ　資源ごみの日には、新聞紙や**雑誌**が回収される。
　　　　同人誌の**誌上**に、祖父の俳句が掲載された。
　　　　この**月刊誌**の**誌面**は、記事が多いわりには読みやすい。

いみ ❶しるす・かきつける・かきつけ●雑誌・地誌・日誌・墓誌　❷雑誌のこと●誌上・誌面・季刊誌・機関誌・月刊誌・週刊誌・同人誌

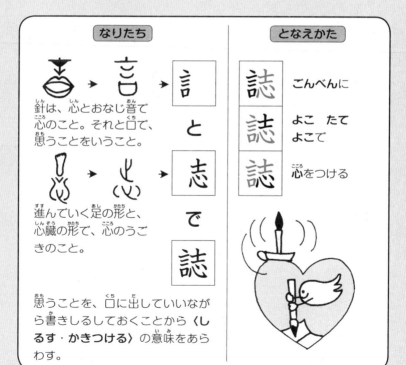

なりたち

針は、心とおなじ音で心のこと。それと口で、思うことをいうこと。

進んでいく足の形と、心臓の形で、心のうごきのこと。

言と志で誌

思うことを、口に出していいながら書きしるしておくから〈しるす・かきつける〉の意味をあらわす。

となえかた

ごんべんに
よこ　たて　よこで
心をつける

きを　つけよう　誌の「士」を「土」としない。

言(げん)の部・15画
左右型／丶(てん)

くん ——
おん ロン　班で**議論**を重ねて、見学先での行動計画を立てる。
　　　　　先生の**結論**がでるまでには、二週間もかかった。

いみ ❶**すじみちをたてのべる**●論外・論議・論客・論告・論述・論証・論説・論戦・論争・論文・議論・言論・討論・反論・評論・弁論　❷**かんがえ・意見**●論旨・結論・持論・正論・世論・理論

きを つけよう　論と似ている字…輸・輪

言(げん)の部・11画
左右型／丶(てん)

- **くん** わけ　ぼくは花びんを割ったことを、**言い訳**せずにあやまった。
　　　　おこづかいの使いみちの**内訳**は、おもにお菓子と本だ。
- **おん** ヤク　英語を自然な日本語に**訳す**のは、とてもむずかしい。
　　　　さまざまな国際会議では、多くの**通訳**が活躍している。

いみ ❶べつのことば　べつの国のことばに言いかえること●訳語・訳者・訳文・意訳・英訳・完訳・全訳・直訳・通訳・翻訳・和訳
　　　❷わけ・げんいん・いみ●言い訳・内訳

なりたち

針は、心とおなじ音で心のこと。それと口で、思うことをいうこと。

「駅」の略で、つぎからつぎに伝えること。

ひとつの国のことばを、別の国のことばになおして、つぎからつぎへと伝えることから〈べつの国のことばに言いかえる〉などの意味になった。

となえかた

訳　ごんべんに
訳　かなのコかいて
訳　人をかく

クイズ　訳 − 尺 + 敬 = ？

言(げん)の部・15画
左右型／丶(てん)

くん —
おん タン

先生の**誕生日**に、クラス全員で花束をおくった。
父は母に、**誕生石**のルビーをプレゼントした。
キリスト教で**降誕祭**といえば、クリスマスのことだ。
ショパンの**生誕**二百年を記念したコンサートが開かれた。

いみ うまれる ● 誕日・誕生・降誕・生誕・聖誕

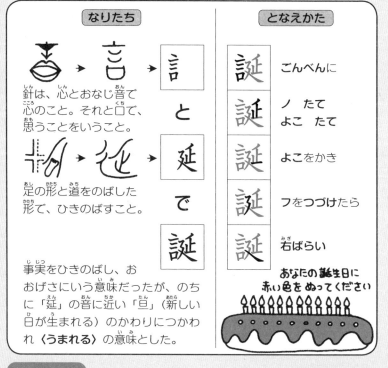

なりたち

針は、心とおなじ音で心のこと。それと口で、思うことをいうこと。

足の形と道をのばした形で、ひきのばすこと。

言 と 延 で 誕

事実をひきのばし、おおげさにいう意味だったが、のちに「延」の音に近い「旦」(新しい日が生まれる)のかわりにつかわれ〈うまれる〉の意味とした。

となえかた

誕 ごんべんに
誕 ノ たて よこ たて
誕 よこをかき
誕 フをつづけたら
誕 右ばらい

あなたの誕生日に
赤い色をぬってください

きを つけよう 誕の「正」を「正」としない。

言(げん)の部・19画
上下型／一(よこぼう)

くん ——
おん ケイ　台風が近づいているので、暴風や高波に**警戒**する。
電車が、**警笛**をならしながらホームに入ってきた。

いみ ❶用心する●警戒・警護・警備・夜警　❷ちゅういをする●警句・警告・警鐘・警笛・警報・自警　❸人命や財産をまもる●警官・警察・警視庁・警棒

なりたち

苟 → 敬 → 敬

羊のつのと、人が口をかかえこむ形と、手にむちを持った形。

口 → 言 → 言　で　警

訫は、心とおなじ音で心のこと。それと口で、思うことをいうこと。

むちで打たれた羊のように、ことばで注意されて、はっと身をひきしめることから〈用心する〉の意味になった。

となえかた

警　サをかいて
警　ノに かぎはねて 口をいれ
警　ノ一で 両ばらい
警　言をかく

28ページに 行くな！

きを つけよう　警と似ている字…驚

寸(すん)の部・12画
上下型／丶(てん)

- **くん** たっとい 　天照大神は、日本神話でもっとも尊い神とされている。
  - とうとい 　第二次世界大戦では、多くの尊い命がぎせいになった。
  - たっとぶ 　武士道がもっとも尊ぶもののひとつは、正義だ。
  - とうとぶ 　お盆は、仏を敬い、先祖を尊ぶ行事だ。
- **おん** ソン 　わたしは、なにごとにも勉強熱心な父を尊敬する。
  - 　どんなときでも、尊大な態度はよくない。

いみ ❶とうとい・うやまっていうことば●尊顔・尊敬・尊厳・尊称・尊像・尊重・尊王(尊皇)・尊卑・尊父・尊名・自尊心・本尊　❷いばる●尊大

なりたち

酒のつぼを両手でささげ持つ形。

おまつりのとき、神にそなえる酒のことから〈とうとい〉などの意味になった。

となえかた

尊	ソーと かいて
尊	たて かぎかいて
尊	ルのよこまげて 一つけて
尊	そこをとじたら
尊	寸をかく

きを つけよう　「尊い」「尊い」は「尊とい」「尊とい」としない。

田(た)の部・11画
上下型／1(たてぼう)

- **くん** こと　ぼくと弟とでは、食べ物の好みがまったく**異**なる。
- **おん** イ　　外で**異**様な音がするのは、強い風のせいかもしれない。
  おじは、ごみで作品をつくる**異**色の芸術家だ。
  明智光秀が織田信長に**異**心をいだいた動機はわかっていない。

いみ ❶ **べつの・ちがう**●異義・異議・異郷・異口同音・異国・異質・異種・異状・異常・異人・異性・異説・異存・異同・異動・異物・異様・大同小異　❷ **めずらしい**●異才・異彩・異色・異端・異例・驚異・特異・変異　❸ **ただしくない**●異心　❹ **わざわい**●異変

なりたち

台にのせたおそなえを
両手でささげ持つ形。

神におそなえする品物は、ほかのものとちがい、上等なものなので〈べつの・ちがう・めずらしい〉の意味をあらわした。

となえかた

異	たんぼの田
異	よこ　たて／たて　よこ
異	ハをつける

110ページを ひっぱろう

チガウページヲ ヒッパッテイルノジャナイノ

さんこう　異の反対の意味の字…同

手(て)の部・8画
左右型／一(よこぼう)

くん (うけたまわる)
今回の問題について、まずは先生の考えを**承る**。
電話で商品の注文を**承る**のが、母の仕事だ。
承るところによると、前の校長はご病気だそうだ。

おん ショウ
父の**承諾**をえて、五教科のドリルを買う。
おやつを食べすぎると太ると、百も**承知**している。

いみ ❶うけたまわる・ききいれる●承引・承諾・承知・承認・承服・不承不承・了承 ❷うける・うけつぐ●承前・起承転結・継承・口承・伝承

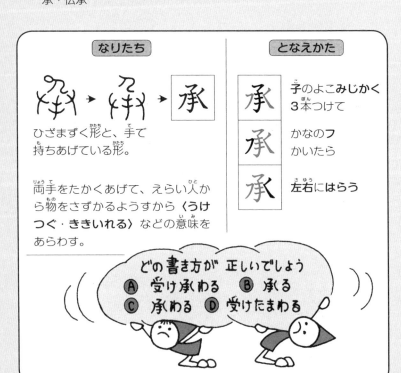

なりたち

ひざまずく形と、手で持ちあげている形。

両手をたかくあげて、えらい人から物をさずかるようすから〈うけつぐ・ききいれる〉などの意味をあらわす。

となえかた

子のよこみじかく3本つけて

かなのフかいたら

左右にはらう

どの書き方が 正しいでしょう
Ⓐ 受け承わる　Ⓑ 承る
Ⓒ 承わる　Ⓓ 受けたまわる

クイズ □承転結 □に入るのは？ ①不 ②起 ③基

大(だい)の部・9画
□その他型／一(よこぼう)

- **くん** （かなでる） ギターを**奏**でながら歌をうたうのは、むずかしい。
- **おん** ソウ リコーダーで「エーデルワイス」を**合奏**する。
  ピアニストの**演奏**の映像で、ピアノの**奏法**を研究する。
  音楽会で**演奏**する曲目をきめる。

いみ ❶**さしあげる・もうしあげる** ● 奏上・上奏 ❷**楽器をならす** ● 奏楽・奏法・演奏・合奏・間奏・序奏・吹奏・前奏・独奏・伴奏 ❸**なしとげる** ● 奏功・奏効

なりたち

さかき(榊)の小枝を両手で持つ形。

さかきの枝を両手に持って、神にささげることから〈**さしあげる・もうしあげる**〉の意味になった。

となえかた

奏 よこぼう3本
奏 人をかき
奏 よこぼう2本
奏 人をかく

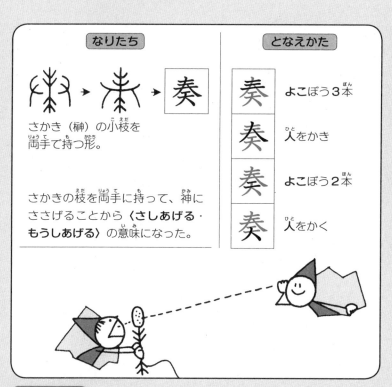

クイズ □を奏する □に入るのは？ ①効 ②攻 ③功

尤(だいのまげあし)の部・12画
左右型／丶(てん)

くん (つく) わたしの夢は、絵をかく仕事に**就く**ことだ。
(つける) 知事は、民間人を副知事に**就ける**考えだという。
おん シュウ 新しい校長先生が、**就任**のあいさつをした。
(ジュ) 二十余年の念願が**成就**して、われわれのチームは優勝した。

いみ ❶つく・しごとや役につく●**就**学・**就**業・**就**航・**就**床・**就**職・**就**寝・**就**任・**就**労 ❷なしとげる●成**就**

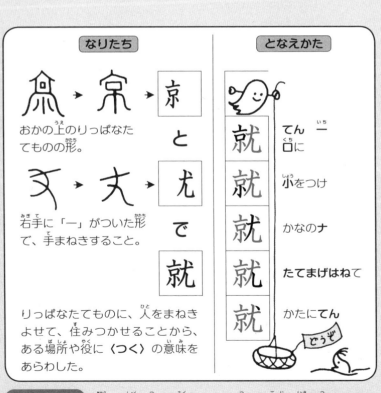

つかいわけ 新しい職に**就く**。服にペンキが**付く**。五時に家に**着く**。

己(おのれ)の部・9画
□その他型／丶(てん)

くん まく 冬はマフラーを首に**巻く**と、だんぜん暖かい。
朝顔のつるには、物に**巻きつく**習性がある。
まき 黒板の大きさを、**巻き尺**を使ってはかる。
おん カン 図鑑の**巻末**に、昆虫標本の作り方がのっている。
お年玉で大好きなまんがを**全巻**買った。

いみ ❶まく●巻き貝・巻紙・巻き尺・鉢巻き・腹巻き ❷書物・まきもの●巻物・巻数・巻頭・巻末・圧巻・開巻・下巻・上巻・全巻・中巻・別巻

なりたち

お米を両手でまるめようとしている形。

ひざをおってひれふしている形。

巻

人がすわって両手でお米をまるめる形から〈まく・まきもの〉の意味になった。

となえかた

巻	ソをかいて
巻	よこぼう2本
巻	人をかき
巻	かなのコかいたら
巻	たてまげはねる

きを つけよう 巻と似ている字…券

手(て)の部・16画
左右型／一(よこぼう)

くん （みさお） 決めた気持ちを、かたく守ってかえない心が操だ。
（あやつる） 兄は昔から、手こぎのボートを操るのがうまい。
人形劇の人形を上手に操る。

おん ソウ リモコンを操作して、テレビのチャンネルをかえる。

いみ ❶おもうとおりにうごかす・あやつる ● 操り人形・操業・操作・操車場・操縦・操法・体操　❷心やからだをかたくまもること ● 操行・志操・情操・節操

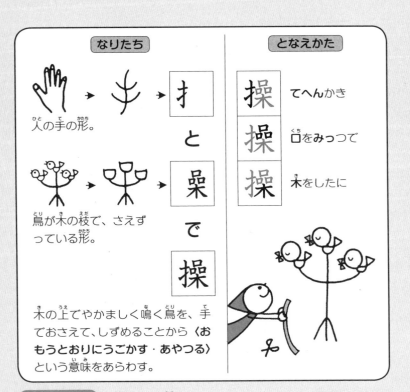

なりたち

人の手の形。

才 と

鳥が木の枝で、さえずっている形。

喿 で

操

木の上でやかましく鳴く鳥を、手でおさえて、しずめることから〈おもうとおりにうごかす・あやつる〉という意味をあらわす。

となえかた

操　てへんかき
操　口をみっつで
操　木をしたに

きを つけよう　「操る」は「操つる」としない。

手(て)の部・11画
左右型／一(よこぼう)

くん (おす) ぼくは、図書委員に山田君を**推す**ことにした。
　　　　　雲ゆきから**推して**、明日は雨にちがいない。
おん スイ　日本の自動車の輸出量の、五十年間の**推移**を調べる。
　　　　　歳末たすけあい募金は、地域福祉の**推進**を目的としている。

いみ ❶おす・おしすすめる ● 推移・推進・推力　❷おしはかる ● 推計・推察・推測・推定・推理・推量・推論・邪推・類推　❸選んですすめる ● 推挙・推奨・推薦

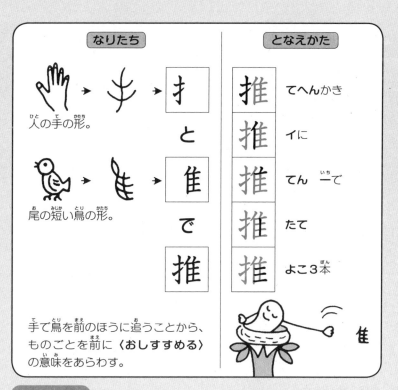

なりたち

人の手の形。
尾の短い鳥の形。

手で鳥を前のほうに追うことから、ものごとを前に〈おしすすめる〉の意味をあらわす。

となえかた

推　てへんかき
推　イに
推　てん 一で
推　たて
推　よこ3本

クイズ　推 － 扌 ＋ 田 ＋ 大 ＝ ？

手(て)の部・7画(かく)
左右型／一(よこぼう)

くん ——
おん ヒ

人の意見をむやみに**批判**してはいけない。
批判的な意見を言われても、前向きにとらえていきたい。
小説を読んで**批評**するのは、案外むずかしい。
日本が平和条約を**批准**するまでには、四か月を要した。

いみ よいわるいをきめる ● 批准・批正・批点・批難・批判・批評

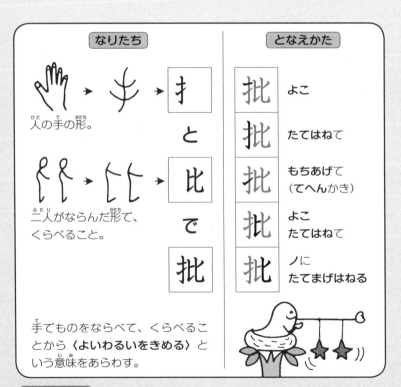

クイズ 批が入るのは？ ①□重 ②□判 ③□願

手(て)の部・11画
左右型／一(よこぼう)

くん すてる　ごみはかならず、決められた場所に**捨てる**。
柔道の試合では、**捨て身**になって相手にぶつかった。

おん シャ　計算の結果を、十の位で**四捨五入**して答える。

いみ すてる・**手ばなす** ● 捨て石・捨て犬・捨て金・捨て子・捨て値・捨て鉢・捨て身・切り捨て・世捨て人・呼び捨て・喜捨・四捨五入・取捨

なりたち

人の手の形。 → 扌

あずまやの形で、からだをゆるめて休むこと。 → 舎

扌 と 舎 で 捨

手をゆるめて、持っていたものをはなすことから〈**すてる・手ばなす**〉の意味をあらわした。

となえかた

捨　てへんに
捨　ひとやね
捨　土
捨　口とかく

きを つけよう　捨と似ている字…拾

手(て)の部・8画
左右型／一(よこぼう)

くん ──
おん カク

花粉をけんび鏡で**拡大**して見た。
校長先生が**拡声器**で、運動会の開始を宣言した。
渋滞を解消するために、道路のはばが**拡張**されるそうだ。
原発事故により、放射性物質が大気中に**拡散**した。

いみ ひろげる・ひろめる・ひろがる ● 拡散・拡充・拡声器・拡大・拡張

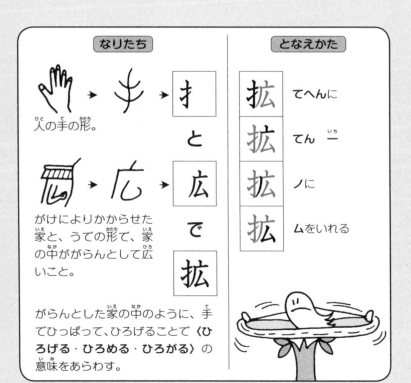

なりたち

人の手の形。

と

がけによりかからせた家と、うでの形で、家の中ががらんとして広いこと。

で 拡

がらんとした家の中のように、手でひっぱって、ひろげることで〈ひろげる・ひろめる・ひろがる〉の意味をあらわす。

となえかた

拡 てへんに
拡 てん 一
拡 ノに
拡 ムをいれる

きを つけよう 拡の「广」を「厂」としない。

手(て)の部・8画
左右型／一(よこぼう)

くん （かつぐ） 大きなリュックを担いで、もくもくと山を登る。
ぼくはえんぎを担いで、試合前日にはとんかつを食べる。
母は今年度、ついにPTA会長に担ぎ上げられた。
（になう） 砂漠では、ラクダが大きな荷物を担う役割をする。
父は一人で、わたしたちの家族の生活を担っている。

おん タン 作業を分担すれば、案外早く終わると思う。
ぼくらの担任は、学校でいちばん年のわかい先生だ。

いみ になう・ひきうける・うけもつ ● 担い手・担架・担当・担任・担保・荷担(加担)・負担・分担

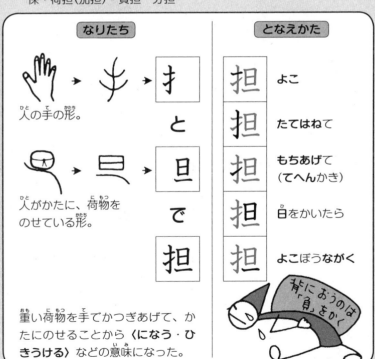

なりたち

人の手の形。

人がかたに、荷物をのせている形。

扌 と 旦 で 担

重い荷物を手でかつぎあげて、かたにのせることから〈になう・ひきうける〉などの意味になった。

となえかた

担 よこ
担 たてはねて
担 もちあげて（てへんかき）
担 日をかいたら
担 よこぼうながく

背におうのは「負」をかく

きを つけよう 担の「旦」を「且」としない。

手(て)の部・12画
左右型／一(よこぼう)

くん ──
おん キ　市の音楽会では、音楽の先生が**指揮**をする。
運動会では、実力を**発揮**できたと思う。
ガソリンは**揮発**するので、あつかいに注意する。

いみ ❶さしずする●指揮　❷ふるってあらわす・ふりまわす●発揮
❸ちる・まきちらす●揮発

なりたち

人の手の形。

人が車をとりかこんでいる形で軍隊のこと。

扌 と 軍 で 揮

手をふりまわして、軍隊をしきすることから〈さしずする・ふりまわす〉の意味になった。

となえかた

揮　てへんかき
揮　ワに
揮　よこ一で
揮　白一の
揮　たてぼう

きを つけよう　揮の「冖」を「宀」としない。

手(て)の部・8画
左右型／一(よこぼう)

くん おがむ　新年は富士山に登って、初日の出を**拝む**。
　　　　　　　お寺で仏像を**拝む**と、ふしぎに気持ちがおちつく。
おん ハイ　　祖父は月に一度、かならず神社に参**拝**する。
　　　　　　　本を一週間ほど**拝借**いたします。
　　　　　　　いただいたお手紙、たしかに**拝見**しました。
　　　　　　　お寺の入り口で**拝観料**をはらう。

いみ ❶おがむ・おじぎをする● 拝殿・拝礼・参拝・三拝九拝・四方拝・礼拝(礼拝)　❷つつしんで……する● 拝観・拝啓・拝見・拝察・拝借・拝受・拝聴・拝読・拝命・拝領

クイズ 三拝□拝　□に入るのは？　①九　②十　③百

手(て)の部・11画
左右型／一(よこぼう)

くん さがす　公園のわきにある林で、カブトムシを探す。
　　　　　　　引き出しの中を探したら、自転車の予備のかぎがあった。
　　（さぐる）ポケットの中を探ったら、百円玉がでてきた。
おん タン　せん水艦にのって、海底を探検してみたい。

いみ さぐる・さがしもとめる ● 手探り・探海灯・探求・探究・探検（探険）・探査・探索・探察・探勝・探照灯・探知・探偵・探訪

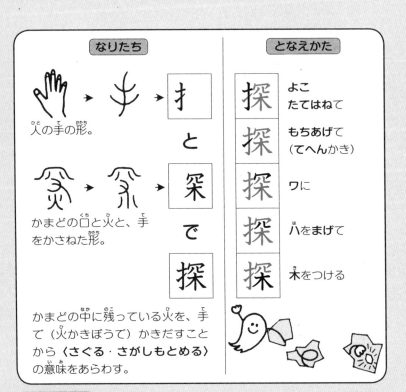

なりたち

人の手の形。

かまどの口と火と、手をかさねた形。

手 と 架 で 探

かまどの中に残っている火を、手で（火かきぼうで）かきだすことから〈さぐる・さがしもとめる〉の意味をあらわす。

となえかた

よこ
たてはねて

もちあげて
（てへんかき）

ワに

ハをまげて

木をつける

きを つけよう　探と似ている字…深

尸（しかばね）の部・4画
上下型／一（よこぼう）

くん ——
おん シャク

地図帳には、かならず縮尺率が入っている。
巻き尺を使って、木の幹の太さをはかる。
美しさに対する尺度は、人によってちがうものだ。

いみ むかしの長さの単位・長さ ● 尺寸・尺度・尺八・尺貫法・着尺・縮尺・巻き尺・間尺

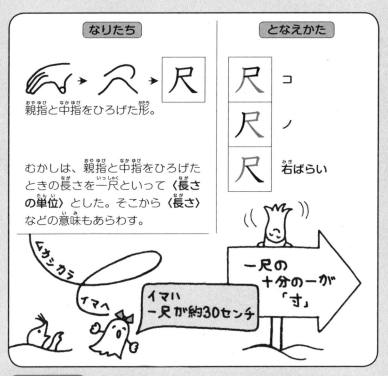

なりたち

親指と中指をひろげた形。

むかしは、親指と中指をひろげたときの長さを一尺といって〈長さの単位〉とした。そこから〈長さ〉などの意味もあらわす。

となえかた

尺 コ
尺 ノ
尺 右ばらい

ムカシカラ
イマへ
イマハ 一尺が約30センチ
一尺の十分の一が「寸」

さんこう 尺は「尺貫法」といって、むかしの長さの単位。

寸(すん)の部・3画
□その他型／一(よこぼう)

くん ——
おん スン

精密機器の製造には、**寸分**のくるいも許されない。
この服は、そでの**寸法**が長すぎて、わたしには合わない。
一寸の虫にも五分の魂。

いみ
①むかしの長さの単位・一尺の十分の一・長さ● 寸分・寸法・一寸
②わずか・すこし● 寸陰・寸暇・寸刻・寸志・寸時・寸前・寸断・寸秒・寸評

なりたち

右手の形に「一」印をつけて、指一本のはばのこと。

むかしの長さの単位「一尺」にたいして、〈一尺の十分の一〉である指一本のはばを一寸といった。そこから〈長さ・わずか〉の意味もあらわす。

イマハ 一寸が約3センチ

となえかた

寸 よこ

寸 たてはねて

寸 てんつける

クイズ □先三寸 □に入る体の一部は？

寸(すん)の部・9画
上下型／一(よこぼう)

くん （もっぱら）　兄さんは近ごろ、専らテニスに熱中している。
おん セン　　　高速道路は**自動車専用**の道路で、自転車は走れない。
　　　　　　　　熱帯の昆虫を**専門**に撮影する写真家になりたい。

いみ ❶ひとりじめにする・かってにする ● 専横・専制政治・専売・専有・専用　❷そのことだけ・もっぱら ● 専科・専業・専攻・専心・専属・専任・専念・専務・専門

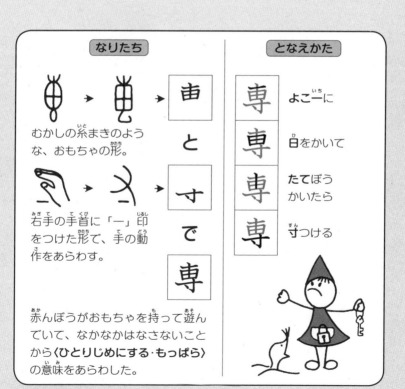

なりたち

むかしの糸まきのような、おもちゃの形。

→ 甲

右手の手首に「一」印をつけた形で、手の動作をあらわす。

→ 寸

で → 専

赤んぼうがおもちゃを持って遊んでいて、なかなかはなさないことから〈ひとりじめにする・もっぱら〉の意味をあらわした。

となえかた

よこ一に
日をかいて
たてぼうかいたら
寸つける

きを つけよう　「専ら」は「専っぱら」としない。

寸(すん)の部・10画
左右型／ノ(ななめぼう)

くん いる　弓をぎりぎりまで引きしぼって、まとを**射**る。
　　　　　強い日ざしが、目を**射**るようにふりそそぐ。

おん シャ　宇宙センターから、衛星をのせたロケットが**発射**された。
　　　　　祖母は**注射**がきらいで、五十年以上もしていないという。
　　　　　ぼうしをかぶって、頭に**直射**日光が当たるのをさける。

いみ ❶いる・てっぽうなどをうつ● 射撃・射殺・射程・射的・発射・乱射　❷いきおいよくでてあたる● 注射・直射・日射病・反射・放射・乱反射

なりたち

弓に矢をつがえて、的をいる形。

その形から〈いる・うつ〉などの意味をあらわした。

となえかた

射	ノにたてぼうで
射	かぎながくはね
射	よこ　よこ　もちあげ
射	おおきく　ノ
射	よこぼう　たてはね　てんをうつ

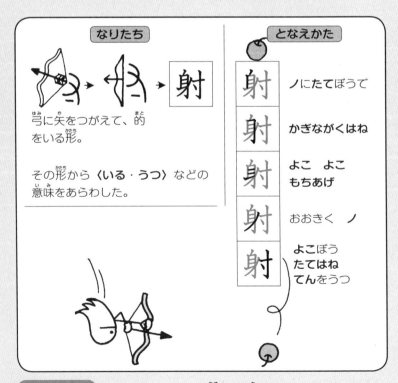

きを　つけよう　射の「寸」の「ヽ」を忘れずに書く。

又(また)の部・4画
左右型／1(たてぼう)

くん おさめる　冬物の分厚いふとんを、押し入れに**収める**。
　　　　　　　　今年の運動会は、ひさしぶりに赤組が勝利を**収めた**。
　　　　おさまる　はげしくふいていた風が、どうにか**収まった**。
おん シュウ　　郊外の田んぼにいって、米の**収穫**を体験した。
　　　　　　　　買い物をしたら**領収書**をもらうようにと、母にいわれた。

いみ ❶とりいれる・おさめる ● 収穫・収拾・収集・収納・収容・収録・回収・吸収・徴収・買収・没収　❷おかねがはいること ● 収益・収支・収入・月収・減収・日収・年収・領収

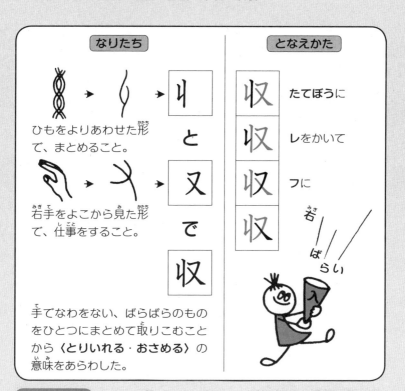

つかいわけ　ケースに**収**める。国を**治**める。学業を**修**める。税金を**納**める。

寸(すん)の部・10画
左右型／丨(たてぼう)

くん ―
おん ショウ

ぼくは野球部の**主将**として、チームをまとめている。
将来は、ファッションデザイナーになりたい。
将棋は、相手の**王将**を取ろうと、せめあうゲームだ。

いみ ❶軍隊やチームをひきいる人●将官・将棋・将軍・将校・将兵・王将・主将・大将・勇将 ❷これからさき●将来

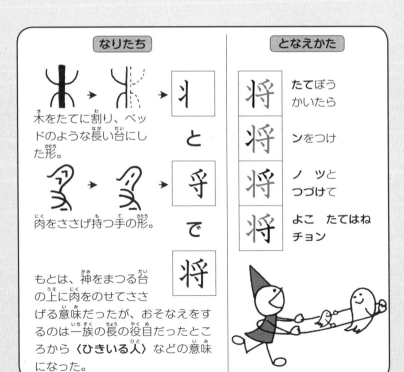

なりたち

木をたてに割り、ベッドのような長い台にした形。

肉をささげ持つ手の形。

もとは、神をまつる台の上に肉をのせてささげる意味だったが、おそなえをするのは一族の長の役目だったところから〈ひきいる人〉などの意味になった。

爿 と 寽 で 将

となえかた

将　たてぼう　かいたら
将　ンをつけ
将　ノ ツと つづけて
将　よこ　たてはね　チョン

きを つけよう　将の「爿」を「扌」としない。

殳（るまた）の部・9画
左右型／ノ（ななめぼう）

くん ——
おん ダン　お寺の石段を数えながら登ったら、八百八段もあった。
　　　　　作業の段取りを決めてから、班のメンバーに伝えた。
　　　　　チャンピオンと挑戦者の実力には、格段の差がある。

いみ ❶かいだん・だんだん●段丘・段差・段段畑・石段・下段・上段・中段　❷等級●段位・段階・格段・初段　❸方法●段取り・算段・手段　❹くぎり・きれめ●段落・分段

なりたち

石がかさなった形で、かいだんのこと。

と

ほこを手に持つ形で、たたいて働かせること。

で

段

人びとを働かせて石をつみ、かいだんを組んだことから〈かいだん〉の意味をあらわした。

となえかた

段　ノにたて

段　よこ よこ もちあげて

段　ノにかぎまげはねて

段　フに右ばらい

きを つけよう　段の「几」を「八」としない。

攵(のぶん)の部・12画
左右型／一(よこぼう)

くん うやまう
上級生は下級生を思いやり、下級生は上級生を**敬う**。
日本の神道では、古くから八百万の神を**敬って**きた。

おん ケイ
敬語を正しく使うのは、むずかしい。
敬老の日に、プレゼントを持って祖母の家をたずねる。
わたしは、担任の先生をとても**尊敬**している。

いみ うやまう・たっとぶ ● 敬愛・敬意・敬遠・敬具・敬語・敬称・敬体・敬白・敬服・敬礼・敬老・失敬・崇敬・尊敬・不敬

なりたち

羊の角と、人が口をかかえる形。

手にむちを持った形で、打つこと。

と

攵

で

敬

むちで打たれた羊のように、口をつぐみ、からだをふかくまげて、おじぎをすることから〈うやまう・たっとぶ〉の意味をあらわす。

となえかた

敬 サをかいて

敬 ノに
    かぎまげはねて

敬 口をいれ

敬 ノ 一と
    つづけて

敬 左右にはらう
    (のぶん)

きを つけよう　「敬う」は「敬まう」としない。

攵(のぶん)の部・15画
左右型／ヽ(てん)

くん（かたき） 王様の**敵**をうつために、家来たちは立ちあがった。
大型スーパーは、商店街の店の**商売敵**になっている。

おん テキ 昨日の**敵**は、今日の友。
決勝戦の相手はかなりの**強敵**だから、油断するな。

いみ てき・かたき ● 敵役・敵意・敵軍・敵国・敵視・敵将・敵情・敵対・敵地・敵兵・強敵・宿敵・大敵・天敵・匹敵・不敵・無敵

なりたち

屋根からぽたんと落ちる、しずくの形。

手にむちを持った形で、打つこと。

商 と 攵 で 敵

落ちるしずくがまっすぐ地面に向かうように、まっすぐに向かい合う相手のこと、つまり〈てき・かたき〉の意味をあらわす。

となえかた

敵 — てん　一　ソをかき
敵 — どうがまえ（たて かぎはねて）
敵 — なかに 十　口で
敵 — ノ　一と つづけ
敵 — 左にはらって 右ばらい（のぶん）

クイズ □断大敵　□に入るのは？　①湯　②油　③不

儿(ひとあし)の部・10画
上下型／1(たてぼう)

くん ―
おん トウ　原敬は、日本で最初の**政党**による内閣をつくった。
内閣をつくる**政党**を**与党**、つくらない**政党**を**野党**という。

いみ なかま・集団(とくに政治家の集まり)●党員・党議・党首・党則・党派・悪党・甘党・結党・残党・政党・徒党・入党・保守党・野党・与党

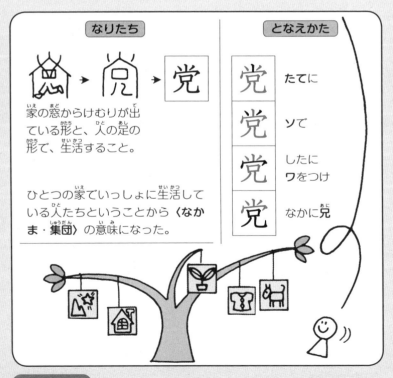

なりたち
家の窓からけむりが出ている形と、人の足の形で、生活すること。

ひとつの家でいっしょに生活している人たちということから〈なかま・集団〉の意味になった。

となえかた
党　たてに
党　ソで
党　したにワをつけ
党　なかに兄

きを つけよう　党の「儿」を「ル」としない。

彳(ぎょう にんべん)の部・9画
左右型／ノ(ななめぼう)

くん ――
おん リツ　憲法は、国の政治の基本となる**法律**だ。
　　　　　夏休みこそ、**規律**ある生活をする。
　（リチ）　祖母は**律儀**な人なので、親類中から信頼されている。

いみ ❶**きまり・おきて** ● 律儀(律義)・一律・因果律・戒律・規律・自然律・自律・不文律・法律　❷**音楽の調子・リズム** ● 律詩・律動・音律・旋律・調律

なりたち

 → 彳

十字路の左半分の形で、いくこと。

→ 聿

手にふでを持った形で、書くこと。

と　で　律

法律は、まず文章として書かれ、それから天下にいきわたったことから〈**きまり・おきて**〉の意味をあらわした。

となえかた

律	ぎょうにんべん（ノ イとかき）
律	ヨのなかながく
律	よこ2本
律	そしてさいごにたてながく

おばけのきまり
ひるま ねること

きを つけよう　律の「聿」を「圭」としない。

イ(ぎょうにんべん)の部・10画
左右型／ノ(ななめぼう)

くん したがう　案内係の指示に従って、工場を見学する。
　　　したがえる　王様は家来を従えて、狩りにでかけた。
おん ジュウ　　農業に従事する人の数は、毎年へりつづけている。
　　　　　　　　従来どおりのやり方で進めると、また同じ失敗をする。
　　　（ショウ）父は、上司にお追従をいう部下はきらいなのだそうだ。
　　　（ジュ）　北条政子は従二位となり、幕府の実権をにぎった。

いみ ❶したがう・下につく・したがう人●従業員・従軍・従事・従者・従順・従属・従容・主従・専従・追従・追従・服従・面従・盲従
　　❷……から・……より●従前・従来

なりたち

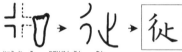
十字路の左半分と足の形で、歩くこと。

人が二人ならんでいる形。

従 と ⼌ で 従

前の人に後ろの人がつきしたがって歩くことから〈したがう・したがう人〉の意味をあらわす。

となえかた

従	ぎょうにんべん（ノ　イとかき）
従	ソ　イ
従	たて　よこ
従	人をかく

きを　つけよう　「従う」は「従がう」としない。

廴(えんにょう)の部・8画
その他型／ノ(ななめぼう)

くん のびる　雨で、野球の試合が来週の日曜日に延びた。
のべる　修学旅行では、部屋に自分たちでふとんを延べる。
のばす　天候不順で、出発の時刻を延ばすことにした。
おん エン　消防隊員の活躍で、延焼はなんとかくいとめられた。
試合は同点に終わり、延長戦にもちこまれた。

いみ ❶ものをのばす・ひろがる ●延べ金・延焼・延命・圧延　❷きめられた日や時間をのばす ●延引・延期・延着・延長・順延・遅延

なりたち

足の形と、のばすしるし。

ぎょうにんべんをのばした形で、ゆっくり歩くこと。

正 と 廴 で 延

まっすぐのびている道をゆっくり歩くことで〈のばす・ひろがる〉意味をあらわす。

となえかた

延　ノをかいて

延　たて　よこ
　　たて　よこ
　　(止まるをかいて)

延　フをつづけたら

延　右ばらい

きを つけよう　延と似ている字…廷

え(しんにょう)の部・15画
□ その他型／l(たてぼう)

くん ──
おん イ　学校内の**遺失物**は、職員室で保管している。
　　　　祖母の**遺品**には、指輪やネックレスなどがたくさんあった。
（ユイ）　祖父は、ことこまかに書いた**遺言状**をのこしていた。

いみ ❶わすれる●遺失物　❷のこす●遺愛・遺影・遺稿・遺骨・遺作・遺産・遺志・遺児・遺書・遺跡・遺族・遺体・遺品・遺物・遺言（遺言）　❸心に残る●遺憾・遺恨　❹すてる●遺棄

なりたち

両手に物をかかえている形と貝の形。

道と足の形で、いくこと。

両手にかかえていた、たいせつなものをおきわすれて歩きだすことで〈わすれる〉の意味になった。また、なくしたまま先にいってしまうことから〈のこす〉の意味をあらわす。

となえかた

遺　ひらたい口に
遺　たてよこぼう
遺　したに貝かき
遺　しんにょうつける

メガネヲ ドコニ
オイテキタノカナ

39ページだよ

きを つけよう　遺と似ている字…遣

辶(しんにょう)の部・9画
その他型／一(よこぼう)

くん しりぞく　トラのあまりの迫力に、わたしはおりから一歩**退**いた。
祖父が社長を**退**いたので、父がそのあとをついだ。
　　しりぞける　むらがる敵を**退**けて、ぼくはゴールに突進した。
おん タイ　おじいさんの一声で、いたずらっ子たちは**退散**した。
モグラの目は**退化**していて、視力はほとんどない。

いみ ❶**しりぞく・しりぞける**●退院・退去・退散・退治・退場・退席・後退・辞退・早退・敗退　❷**身をひく・やめる**●退位・退学・退官・退校・退社・退職・引退・脱退・勇退　❸**おとろえる**●退化・退歩

●**特別な読み**…(立ち退く)

なりたち

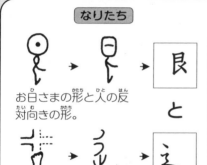

お日さまの形と人の反対向きの形。

道と足の形で、いくこと。

艮 と 辶 で 退

太陽が東から出て反対がわの西にしずむようすから〈しりぞく・身をひく〉の意味をあらわした。

となえかた

退　かなのヨに
退　たてぼうはねて
退　くをかいて
退　左におおきくしんにょうつける

さんこう　退の反対の意味の字…進

心(こころ)の部・8画
上下型／1(たてぼう)

くん ──
おん チュウ　このミニカーは、細部まで**忠実**に再現されている。
父の**忠告**をすなおに聞いていれば、こうはならなかった。
忠犬ハチ公の銅像は、東京の渋谷駅前にある。

いみ まごころ・まこと ● 忠義・忠勤・忠君・忠犬・忠言・忠孝・忠告・忠実・忠臣・忠誠・忠節・忠勇・誠忠・不忠

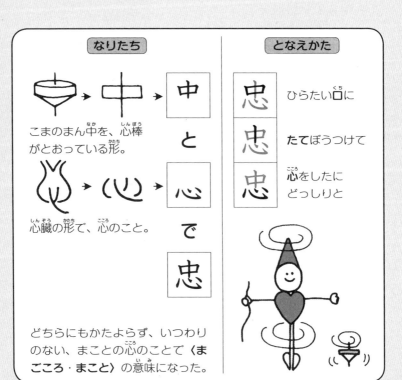

なりたち
こまのまん中を、心棒がとおっている形。
心臓の形で、心のこと。
どちらにもかたよらず、いつわりのない、まことの心のことで〈まごころ・まこと〉の意味になった。

となえかた
ひらたい口に
たてぼうつけて
心をしたに
どっしりと

クイズ 忠言□にさからう　□に入るのは？　①親　②口　③耳

心（こころ）の部・10画
上下型／丨（たてぼう）

くん ——

おん オン
「つるの**恩返し**」は、山形県の民話をもとにしたお話だ。
妹と母は、卒業式のあと**謝恩会**にいった。
親切を**恩**にきせるのが、姉のいやなところだ。
地球上の生物は、太陽の**恩恵**をうけている。

いみ めぐみ・なさけ・なさけをうけること ● 恩愛・恩返し・恩義・恩給・恩恵・恩師・恩賜・恩賞・恩情・恩人・恩典・旧恩・高恩・師恩・謝恩会・大恩・報恩

きを つけよう　恩と似ている字…思

心(こころ)の部・7画
上下型／丶(てん)

くん わすれる
なぜか、自分の家の電話番号を**忘れ**てしまった。
かさを学校に**忘れ**てきたので、折りたたみのかさを使う。
時間がたつのも**忘れ**て、夕方まで遊んでしまった。

おん (ボウ)
今晩、母はPTAの**忘年会**で、帰りがおそくなる。

いみ わすれる ● 忘れ形見・忘れ物・年忘れ・物忘れ・忘恩・忘我・忘却・忘年会・健忘症・備忘

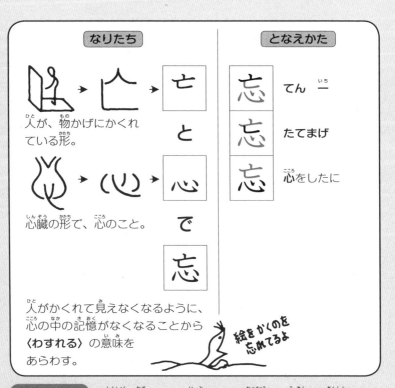

クイズ 「寝食を忘れる」の意味は？ ①熱中 ②不安 ③安心

心(こころ)の部・16画
上下型／ヽ(てん)

くん ——
おん ケン　児童憲章は、子どもたちの幸福を願って制定された。
　　　　わが家の家憲は、誠実と勤勉、そして正直だ。
　　　　日本国憲法は、一九四七年五月三日に施行された。

いみ ❶もとになるきまり・おきて● 憲章・憲政・憲法・違憲・改憲・家憲・合憲・護憲・国憲・立憲政治　❷とりしまる役人● 憲兵・官憲

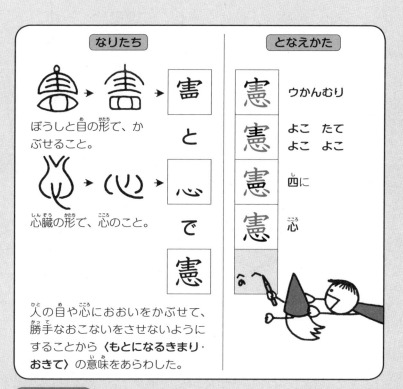

なりたち

害　と　心　で　憲

ぼうしと目の形で、かぶせること。

心臓の形で、心のこと。

人の目や心におおいをかぶせて、勝手なおこないをさせないようにすることから〈もとになるきまり・おきて〉の意味をあらわした。

となえかた

憲　ウかんむり
憲　よこ　たて　よこ　よこ
憲　四に
憲　心

きを つけよう　憲の「宀」を「冖」としない。

クイズの紙が
あったよ。

さあ、考えよう。

《なりたちクイズ》

ほこを手に持つ人、だあれ？（196）
飛んできた鳥は、どうなった？（107）
手と手をあわせ、なにしてる？（73）
草のあいだに、日がしずむのは
　　　　　　　　　　いつ？（154）
目の上に、手をかざしてみると？（35）
ひざをまげ、ひれふしているのは、
　　　　　　　　　　だれ？（26）
目玉をむいて見はりしている
　　　草むらには、なにがある？（128）

こたえは
（　）のページ

肉(にく)の部・11画
左右型／ノ(ななめぼう)

くん ——
おん ノウ　祖父と公園にいったことが、今も**脳**裏にやきついている。
　　　　各国の首**脳**が一堂に会して、国際会議が開かれている。
　　　　世界の頭**脳**を結集して、地球温暖化の対策を考える。

いみ ❶のう・あたま●脳出血・脳神経・脳髄・脳天・脳波・脳貧血・脳裏・間脳・小脳・頭脳・大脳　❷中心となる人●首脳

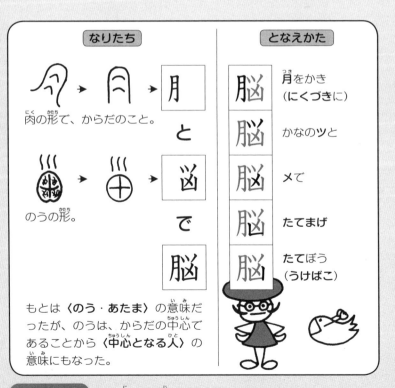

きを つけよう　脳と似ている字…悩

肉(にく)の部・10画
左右型／ノ(ななめぼう)

くん むね　わたしは胸をはって、テストの点数を父に報告した。
　　　　　チーム全員が、優勝するという決意を胸に秘めている。
（むな）　今日は朝から、なんとなく胸騒ぎがする。
　　　　　胸元の広くあいたシャツは、ぼくにはにあわない。
おん キョウ　身体測定では、体重と身長、胸囲、座高をはかった。
　　　　　長く病気をしている友人の胸中を考えると、つらい。

いみ
❶むね●胸板・胸倉・胸先・胸元・胸囲・胸間・胸像・胸部・気胸
❷こころ●胸騒ぎ・胸算用・胸三寸・胸中・度胸

クイズ　「胸がおどる」の意味は？　①期待　②心配　③感動

肉(にく)の部・9画
左右型／ノ(ななめぼう)

くん ──
おん ハイ　肺炎には夏にかかりやすい型もあるので、気をつけよう。
わたしは水泳をやっているせいか、肺活量がとても多い。
双発機が片方のエンジンで飛ぶことを、片肺飛行という。

いみ はい ● 肺炎・肺活量・肺結核・肺臓・肺病・肺胞・肺門・肺葉・片肺・人工心肺

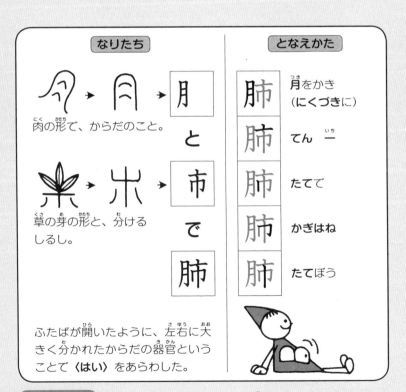

きを　つけよう　　肺の「市」は「ー + 冂 + ｜」と書かない。

肉(にく)の部・13画
左右型／ノ(ななめぼう)

くん はら　朝からずっと運動をしていたので、とても腹がへった。
コーチは、相手チームの腹を読むのが得意だ。
ひどいことをいわれて、腹の虫がおさまらない。
おん フク　朝から腹痛がおさまらず、何度もトイレにいく。
ふもとから二時間歩いて、やっと山の中腹まできた。

いみ ❶はら・おなか●腹鼓・腹八分・裏腹・自腹・腹式呼吸・腹痛・腹部・腹膜・腹筋・開腹・空腹・満腹　❷まんなかのあたり●山腹・船腹・中腹　❸かんがえ●腹案・腹心・腹蔵

なりたち

肉の形で、からだのこと。

と

階段と足の形で、かさなり、くりかえすこと。

で

腹

からだの中で、いったりきたり、うねうねかさなっている腸のある場所のことから〈はら・おなか〉の意味をあらわす。

となえかた

腹	月をかき（にくづきに）
腹	ノー
腹	日をかき
腹	クに
腹	右ばらい

きを　つけよう　腹と似ている字…復・複

肉(にく)の部・9画
上下型／｜(たてぼう)

くん ——
おん イ

胃腸のじょうぶな人には、健康な人が多いといわれる。
おじいちゃんは、入院したおかげで胃病がなおった。
げっぷは、胃の中のガスが口からでるものだ。

いみ いぶくろ(たべものをこなすところ) ● 胃液・胃炎・胃下垂・胃癌・胃散・胃酸・胃弱・胃腸・胃痛・胃病

なりたち

ふくろの中に食べ物が入っている形。 → 田

肉の形で、からだのこと。 → 月

田 と 月 で 胃

からだの中にある、食べ物が入るふくろのことで、〈いぶくろ〉の意味をあらわした。

となえかた

たて かぎ
たてて

よこ2本

たて
かぎはねて
よこぼう2本

きを つけよう 胃の「田」を「由」「甲」「申」としない。

郵便はがき

料金受取人払郵便

牛込局承認
6519

差出有効期間
2020年12月31日
(期間後は切手を
おはりください。)

162-8790

東京都新宿区市谷砂土原町 3-5

偕成社 愛読者係 行

ご住所	〒□□□-□□□□		都・道府・県
	フリガナ		

お名前	フリガナ	お電話
		★目録の送付を [希望する・希望しない]

★新刊案内をご希望の方：メールマガジンでご対応しておりますので、メールアドレスをご記入ください。
@

書籍ご注文欄

ご注文の本は、宅急便により、代金引換にて1週間前後でお手元にお届けいたします。本の配達時に【合計定価（税込）＋ 送料手数料（合計定価 1500 円以上は 300 円、1500 円未満は 600 円）】を現金でお支払いください。

書名		本体価	円	冊数	冊
書名		本体価	円	冊数	冊
書名		本体価	円	冊数	冊

偕成社 TEL 03-3260-3221 ／ FAX 03-3260-3222 ／ E-mail sales@kaiseisha.co.jp

＊ご記入いただいた個人情報は、お問い合わせへのお返事、ご注文品の発送、目録の送付、新刊・企画などのご案内以外の目的には使用いたしません。

★ ご愛読ありがとうございます ★
今後の出版の参考のため、皆さまのご意見・ご感想をお聞かせください。

●この本の書名『　　　　　　　　　　　　　　　　　　　　　　　　　　　』

●ご年齢（読者がお子さまの場合はお子さまの年齢）　　　　歳（ 男 ・ 女 ）

●この本の読者との続柄（例：父、母など）

●この本のことは、何でお知りになりましたか？
1.書店　2.広告　3.書評・記事　4.人の紹介　5.図書室・図書館　6.カタログ
7.ウェブサイト　8.SNS　9.その他（　　　　　　　　　　　　　　　　　　）

ご感想・ご意見・作者へのメッセージなど。

ご記入のご感想を、匿名で書籍の PR やウェブサイトの
感想欄などに使用させていただいてもよろしいですか？　〔 はい ・ いいえ 〕

オフィシャルサイト
偕成社ホームページ
http://www.kaiseisha.co.jp/

偕成社ウェブマガジン
kaisei web
http://kaiseiweb.kaiseisha.co.jp/

肉(にく)の部・13画
左右型／ノ(ななめぼう)

くん ——
おん チョウ

母はきのう、**盲腸**の手術を日帰りでうけた。
胃も**腸**も消化器のひとつで、あわせて**胃腸**といわれる。
腸のはたらきをととのえる**整腸剤**をのんだ。
断腸の思いで、幼稚園からの友人にわかれをつげる。

いみ ちょう・はらわた ● 腸液・腸炎・腸チフス・腸詰め・胃腸・十二指腸・小腸・整腸・大腸・断腸・直腸・盲腸

なりたち

肉の形で、からだのこと。

と

太陽の下で、ふきながしがはためいている形。

で

腸

はためいてうごく、ふきながしのように、からだの中で長くのびて、うごいている〈ちょう〉の意味をあらわす。

となえかた

月をかき
(にくづきに)

日に
よこ一で

ノをかいて

かぎまげ
はねたら

ノをふたつ

きを つけよう　腸と似ている字…賜

肉(にく)の部・19画
左右型／ノ(ななめぼう)

くん ──
おん ゾウ　全力で走ったので、心臓がまだどきどきしている。
肝臓・心臓・脾臓・肺臓・腎臓を、あわせて五臓とよぶ。
臓器移植によって、多くの人命がすくわれている。

いみ からだのなかの器官・はらわた ● 臓器・臓物・肝臓・五臓・心臓・腎臓・膵臓・内臓・肺臓・脾臓

なりたち

肉の形で、からだのこと。

と

しげった草と、目をむいた形で、だいじなものをしまっておくくら。

＝ 臓

からだの中の栄養や血液など、だいじなものをしまっておく場所のことで〈器官・はらわた〉の意味をあらわす。

となえかた

臓　月をかき（にくづきに）

臓　よこ　たて　たてで

臓　ノによこぼう

臓　たて　よこ　チョン　コ　チョン　よこで

臓　たすきにてん

きを つけよう　臓の右上の「ヽ」を忘れずに書く。

肉(にく)の部・9画
上下型／一(よこぼう)

くん せ　　　卒業の記念に、校舎を背にして写真をとってもらう。
　　　 せい　　 いとこたちとは、お正月に会うたびに背比べをする。
　　　（そむく）　父との約束に背いて、宿題をせずに遊びにいった。
　　　（そむける）ぼくは自分のしたことがはずかしくて、顔を背けた。
おん ハイ　　事件の背後には、複雑な事情があったといわれる。

いみ ❶せなか・せたけ●背比べ・背筋・背丈・背中・背伸び・背骨・背筋・腹背　❷うしろ・もののうらがわ●背戸・背泳・背景・背後・背面・光背・紙背　❸そむく●背信・背任・背反

なりたち

人が、せなかあわせに立っている形。

肉の形で、からだのこと。

人のからだの後ろがわ、〈せなか〉の意味をあらわす。

となえかた

背　よこ
背　たて
背　もちあげ
背　ノに たてまげはね
背　月をかく

クイズ　背に□はかえられない　□に入るのは？　①胸　②首　③腹

骨(ほね)の部・10画
その他型／｜(たてぼう)

くん ほね
さかなの骨が、のどにひっかかった。
昆虫の標本をきれいにつくるのは、骨が折れる作業だ。
台風で、買ってもらったばかりのかさの骨が折れた。
今日の寒さは、骨のずいまでしみる。

おん コツ
公園の階段でころんで、右うでを骨折した。
大会の骨子が、ようやく決まって発表された。

いみ ほね・ほねぐみ・からだ ●骨折り・骨組み・骨接ぎ・骨身・骨休み・背骨・骨格・骨幹・骨子・骨髄・骨折・骨とう品・骨肉・遺骨・骸骨・気骨・胸骨・筋骨・接骨・鉄骨・軟骨・納骨・白骨・ろっ骨

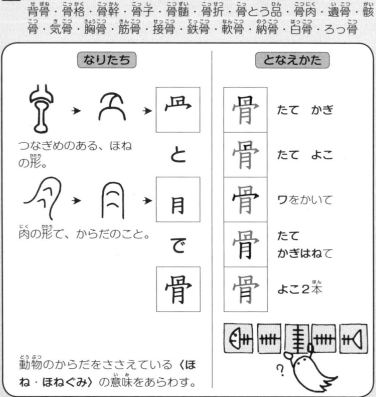

なりたち

つなぎめのある、ほねの形。

肉の形で、からだのこと。

動物のからだをささえている〈ほね・ほねぐみ〉の意味をあらわす。

となえかた

たて かぎ
たて よこ
ワをかいて
たて かぎはねて
よこ2本

クイズ 「骨身をけずる」の意味は？ ①失敗 ②恐怖 ③努力

力（ちから）の部・12画
左右型／一（よこぼう）

くん つとめる　父は外科医として、県立病院に**勤**めている。
　　　 つとまる　これくらいの仕事なら、ぼくにも**勤**まるだろう。
おん キン　何事も、**勤**勉さと誠実さ、そして謙虚さが大切だ。
　　　　　　父は、電車で一時間半かけて通**勤**している。
　　　（ゴン）お坊さんは、朝夕の**勤**行をかかさない。

いみ つとめる・精をだす ● 勤め先・勤倹・勤続・勤皇（勤王）・勤勉・勤務・勤労・勤行・皆勤・外勤・欠勤・在勤・出勤・常勤・精勤・忠勤・通勤・転勤・内勤・夜勤

なりたち

革 → 堇 → 堇

黄色い土のことで、ねん土のこと。

√ → 力 → 力

うでの力こぶの形。

と

力

で

勤

ねん土を力いっぱい、よくこねて土器をつくるように、いっしょうけんめいに力をつくすことから〈つとめる・精をだす〉の意味をあらわした。

となえかた

勤	サ
勤	ロ
勤	たてで
勤	よこ3本
勤	右におおきく力かく

つかいわけ　会社に**勤**める。成績向上に**努**める。リーダーを**務**める。

革(かわ)の部・9画
□その他型／一(よこぼう)

- **くん** （かわ）　自転車用に、赤い**革**の手ぶくろを買ってもらった。
- **おん** カク　このランドセルは、合成皮**革**でできている。
　　　勇気ある民衆の**革**命によって、独裁者は追放された。
　　　自由研究で、わたしの生まれた町の沿**革**を調べる。

いみ ❶かわ・なめしがわ●革靴・革製品・牛革・皮革　❷あらたまる・あらためる●革新・革命・沿革・改革・変革

なりたち

𦰩 → 革 → 革

動物のほねと、両手の形。

動物のほねや肉、毛をとりのぞいて、きれいにした〈なめしがわ〉の意味をあらわす。また、なめすことは皮を変化させることなので〈あらためる〉の意味にもなった。

となえかた

革	よこぼう たて たて
革	そことじて
革	口に
革	よこぼうで
革	たてつきぬける

つかいわけ　**革**のコートを着る。ミカンの**皮**をむく。

至(いたる)の部・6画
□その他型／一(よこぼう)

- **くん** いたる　優勝に**至る**には、血のにじむような努力があった。
- **おん** シ　**至急**、連絡をとりたいときに、携帯電話は便利だ。
　　　　　冬至の日に、かぼちゃを食べて、ゆず湯に入った。

いみ ❶いたる・いきつく●必至　❷いたって・この上なく・ひじょうに●至急・至近・至言・至高・至極・至上・至誠・至当・至難・至便・至宝・至要　❸太陽がいちばんちかづいたりとおのいたりする日●夏至・冬至

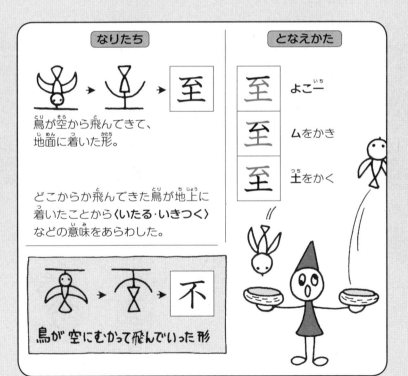

なりたち

鳥が空から飛んできて、地面に着いた形。

どこからか飛んできた鳥が地上に着いたことから〈いたる・いきつく〉などの意味をあらわした。

鳥が空にむかって飛んでいった形

となえかた

至　よこ一
至　ムをかき
至　土をかく

きを　つけよう　「**至**る」は「**至**たる」としない。

羽(はね)の部・11画
上下型／一(よこぼう)

くん ―

おん ヨク　翌月は、市立体育館で新体操の発表会がある。
かんかん照りの遠足の翌日は、雨だった。
朝顔の種をまいたら、翌週にはもう芽がでた。

いみ そのつぎの・つぎにくる ● 翌月・翌日・翌週・翌春・翌朝(翌朝)・翌冬・翌年(翌年)・翌晩・翌翌月・翌翌日・翌翌年

なりたち

鳥のはねの形。

人が前を向いて立っている形。

羽 と 立 で 翌

あすの朝には鳥がとび立つということから、あくる日のことになり〈つぎにくる〉の意味をあらわした。

となえかた

翌　かぎはね
翌　ン
翌　かぎはね ンで
翌　てん 一
翌　ソ 一

クイズ　翌 − 羽 + 早 + β = ?

大(だい)の部・16画
上下型／一(よこぼう)

くん ふるう　勇気を**奮**って、はじめての剣道の試合に出場する。
本番では、実力を大いに**奮**うことができてよかった。

おん フン　祖父はプレゼントに、新しい自転車を**奮**発してくれた。
映画のリアルなCG映像に、思わず興**奮**してしまった。

いみ ふるいたつ・げんきをだす ● 奮起・奮激・奮迅・奮戦・奮然・奮闘・奮発・奮励・感奮・興奮・発奮

なりたち

人の前向きの形で、大きいこと。

鳥の形と、田んぼの形。

田んぼにいた鳥が、大きくはばたいて飛びたつようすから〈ふるいたつ・げんきをだす〉の意味をあらわした。

となえかた

大をかき

イに
てん **一**で

たてつけて

よこぼう3本

したには**田**

きを　つけよう　奮と似ている字…奪

隹(ふるとり)の部・18画
左右型／一(よこぼう)

くん むずかしい　難しい問題だったが、時間をかけたら解けた。
（かたい）　世の中には、信じ難いことがたくさんある。
おん ナン　この哲学者の文章は、とても難解だ。
学校で、震度六弱を想定した避難訓練をやった。

いみ ❶**むずかしい・わるいところ**●難易・難解・難関・難局・難句・難航・難字・難所・難色・難題・難点・難病・難問・困難・至難・非難・無難　❷**わざわい・わるいできごと**●難事・難破・難民・家難・苦難・災難・受難・水難・盗難・避難

●**読み方に注意**…「難しい」は、「むつかしい」とも読む。

なりたち

黄色い土のことで、ねん土のこと。

尾の短い鳥の形。

ねん土も、尾の短いすばしっこい鳥も、どちらもあつかいにくいことから〈むずかしい〉の意味をあらわした。

となえかた

難	サ　ロとかき
難	よこぼう2本で
難	人をつけ
難	イにてん　一で
難	たて　よこ3本

きを　つけよう　「難しい」は「難かしい」としない。

虫(むし)の部・10画
その他型／一(よこぼう)

- **くん** かいこ　田植えがすむと、祖父母は**蚕**の世話でいそがしくなる。
- **おん** サン　カイコのふんがたまった**蚕室**をそうじする。
　　　群馬県は、むかしから**養蚕**がさかんな地域だ。
　　　スマートフォンが、パソコンの市場を**蚕食**している。

いみ カイコ(カイコガの幼虫。さなぎのまゆからは絹糸がとれる) ●蚕棚・蚕業・蚕糸・蚕室・蚕食・蚕織・蚕桑・養蚕

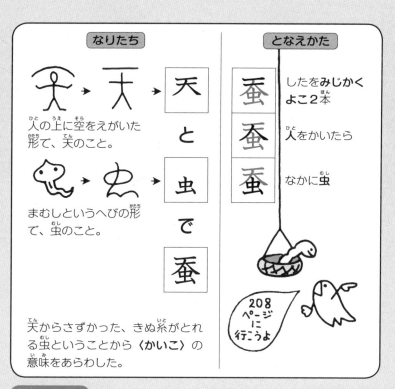

きを つけよう　蚕の「天」を「夫」としない。

貝(かい)の部・13画
上下型／ノ(ななめぼう)

くん ——
おん チン　わたしたちの家族は、**賃貸**のマンションに住んでいる。
　　　いとこの家にいく**電車賃**として、母に五百円もらった。

いみ ❶**仕事やほねおりに対してはらうお金**●賃上げ・賃貸し・賃金・賃銀・賃仕事・賃借・賃貸・借り賃・工賃・手間賃　❷**代金**●運賃・電車賃・船賃・家賃

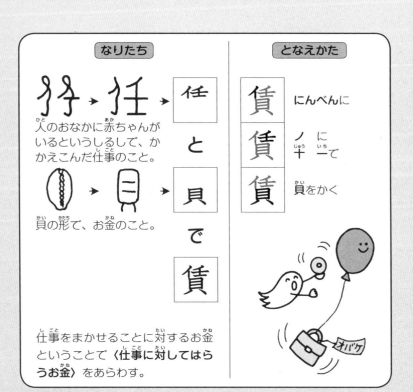

なりたち

扌 → 任 → 任

人のおなかに赤ちゃんがいるというしるしで、かかえこんだ仕事のこと。

貝 → 貝 → 貝

貝の形で、お金のこと。

と

で

賃

仕事をまかせることに対するお金ということで〈仕事に対してはらうお金〉をあらわす。

となえかた

賃　にんべんに
賃　ノ に 十 一 で
賃　貝をかく

きを つけよう　賃の「貝」を「見」としない。

貝(かい)の部・12画
上下型／1(たてぼう)

- **くん** (たっとい) 古墳は、大昔に**貴**い身分の人をほうむったお墓だ。
- (とうとい) 地球の限りある**貴**い資源を、むだづかいしない。
- (たっとぶ) 災害時には、なによりも人命を**貴**ぶべきだ。
- (とうとぶ) 平常心を**貴**ぶ茶道は、ぼくには向いていない。
- **おん** キ 祖父の家の裏山から、**貴**重な化石が発見されたらしい。

いみ ❶かち・ねうちがあるようす●貴金属・貴重・富貴(富貴) ❷身分が高い・とうとい●貴公子・貴人・貴族・貴婦人・高貴 ❸うやまうきもちをあらわすことば●貴家・貴君・貴兄・貴校・貴国・貴殿

なりたち

人がこしに手をあてた形。

貝の形で、お金や財産のこと。

と

貝

で

貴

お金や財産を両手でかかえることから、貴重なものということで〈ねうちがある・とうとい〉の意味をあらわした。

となえかた

貴 中をかき

貴 よこぼうひいて

貴 貝をかく

きを つけよう 「**貴**い」「**貴**い」は「貴とい」「貴とい」としない。

卩（ふしづくり）の部・7画
左右型／ノ（ななめぼう）

くん たまご　キャベツの葉に、モンシロチョウの卵を見つけた。
わたしの兄は役者の卵で、ふだんはアルバイトをしている。

おん （ラン）　卵白には、たんぱく質が多く脂肪は少ない。

いみ ❶鳥や虫、魚などのたまご●卵形・卵酒・卵焼き・生卵・卵黄・卵殻・卵子・卵生・卵巣・卵白・魚卵・鶏卵・産卵　❷まだいちにんまえにならない人●医者の卵・先生の卵

なりたち

枝などにつながってつく、動物のたまごの形。

まるくて、つながっているたまごの形から、鳥や虫など、すべての動物の〈たまご〉の意味をあらわした。

となえかた

卵	ノに たてはねて
卵	てんつけ　ノ
卵	かぎをはねたら
卵	てんつけ
卵	たてぼう

きを　つけよう　卵の2つの「、」を忘れずに書く。

木(き)の部・15画
左右型／一(よこぼう)

くん ——
おん ケン　十八歳になると、選挙で投票する**権**利があたえられる。
（ゴン）　秋になると、ぼくは食欲の**権**化のようにたくさん食べる。

いみ ❶ものごとを、じぶんのおもうとおりに、やらせることができる力 ● 権威・権限・権勢・権力・実権・特権・利権　❷**憲法や法律でみとめられる資格** ● 権益・権利・三権・主権・職権・人権・政権・同権　❸**かりのすがた** ● 権化・権現

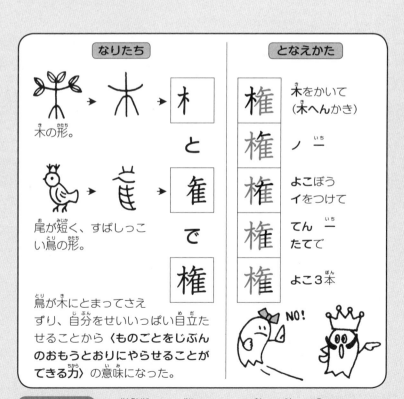

クイズ　□権分立　□に入るのは？　①三　②四　③五

木(き)の部・6画
左右型／一(よこぼう)

くん つくえ
中学生になったら、新しい**机**といすを買ってもらう。
机の上は、いつも整理整とんを心がけている。
卓球部のコーチと父とは、小学校で**机**を並べた仲だそうだ。
部屋には、姉とおそろいの**勉強机**をならべている。

おん (キ)
その考えかたは、**机上**の空論にすぎない。

いみ つくえ ● 座机・勉強机・机下・机上・机辺

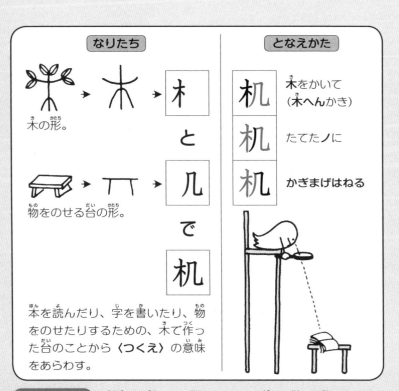

なりたち

木の形。
物をのせる台の形。

木と几で机

本を読んだり、字を書いたり、物をのせたりするための、木で作った台のことから〈つくえ〉の意味をあらわす。

となえかた

机　木をかいて（木へんかき）
机　たてたノに
机　かぎまげはねる

クイズ 机上の□論　□に入るのは？　①空　②反　③名

木(き)の部・10画
左右型／一(よこぼう)

くん かぶ　山歩きでつかれたので、木の**切り株**にすわって休む。
庭にアジサイを**一株**、キンモクセイを一本植える。
株式会社は、発行した**株式**を売って資金を集める。

おん ―

いみ ❶きりかぶ(木をきったあとにのこる、みきや根の部分)●刈り株・切り株　❷植物の根もと●株間・株分け・一株　❸かぶしき●株価・株券・株式・株式会社・株主

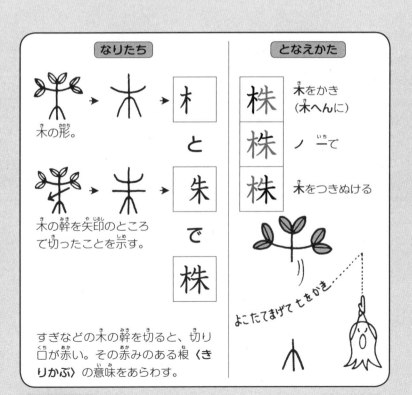

きを つけよう　株の「朱」を「失」としない。

木(き)の部・8画
左右型／一(よこぼう)

くん ――
おん マイ

大そうじの日は、学校にぞうきんを**三枚**持っていく。
クラスのみんなにくばる、プリントの**枚数**がたりない。
二枚貝の体には、入水管と出水管がある。

いみ かぞえる・紙、板、田などをかぞえることば ● 枚挙・枚数・数枚・大枚・二枚貝・二枚舌・二枚目

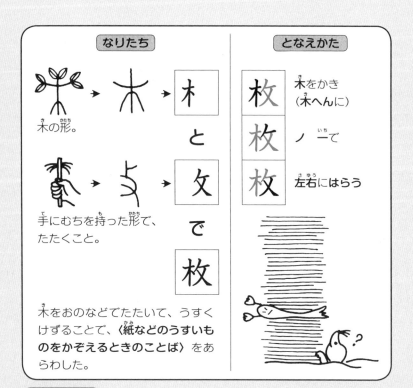

なりたち

木の形。

手にむちを持った形で、たたくこと。

木と攵で枚

木をおのなどでたたいて、うすくけずることで、〈紙などのうすいものをかぞえるときのことば〉をあらわした。

となえかた

木をかき（木へんに）
ノ 一 で
左右にはらう

きを つけよう 枚の「攵」を「欠」としない。

木(き)の部・14画
左右型／一(よこぼう)

くん ——
おん モ　実物の二百分の一の、船の**模型**を組みたてた。
　　　　レオナルド・ダ・ヴィンチの「モナリザ」を**模写**する。
　　ボ　今年の市民マラソンは、参加者数では過去最大の**規模**だ。

いみ　型・**手本**・かたどる・まねる・手本とする ● 模擬・模型・模写・模造・模範・模倣・模様・規模

クイズ　□中模索　□に入るのは？　①暗　②胸　③殿

木(き)の部・16画
左右型／一(よこぼう)

くん ——
おん ジュ

公園内の**樹木**を、傷つけないようにしよう。
近所の神社には、**樹齢**五百年の大木がある。
姉は県の水泳大会で、新記録を**樹立**した。

いみ ❶**木・たち木** ● 樹液・樹海・樹幹・樹脂・樹皮・樹氷・樹木・樹林・樹齢・街路樹・果樹・広葉樹・常緑樹・植樹・針葉樹・大樹・落葉樹 ❷**うちたてる** ● 樹立

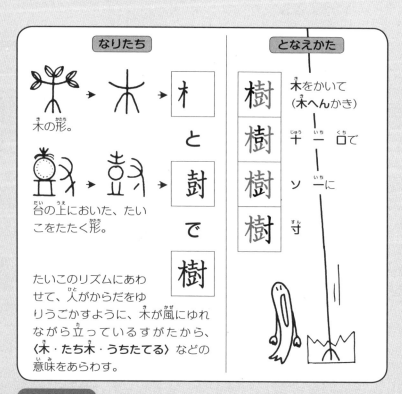

なりたち

木の形。

台の上においた、たいこをたたく形。

木 と 尌 で 樹

たいこのリズムにあわせて、人がからだをゆりうごかすように、木が風にゆれながら立っているすがたから、〈木・たち木・うちたてる〉などの意味をあらわす。

となえかた

木をかいて（木へんかき）
十一口で
ソ一に
寸

きを つけよう 樹の「士」を「土」としない。

木(き)の部・12画
左右型／一(よこぼう)

くん ——
おん ボウ　公園にある**鉄棒**で、さか上がりの練習をする。
あまりのおどろきに、ぼくはその場に**棒立ち**になった。
せりふが**棒読み**の妹の演技に、思わずふきだした。

いみ ぼう・つえ●棒暗記・棒状・棒線・棒高跳び・棒立ち・棒読み・相棒・片棒・金棒・こん棒・心棒・鉄棒

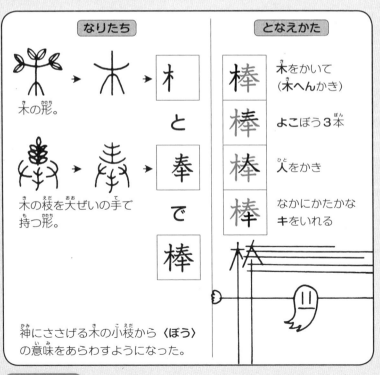

なりたち

木の形。

木の枝を大ぜいの手で持つ形。

木と奉で棒

神にささげる木の小枝から〈ぼう〉の意味をあらわすようになった。

となえかた

木をかいて（木へんかき）
よこぼう3本
人をかき
なかにかたかなキをいれる

クイズ　鬼に□棒　□に入るのは？　①金　②鉄　③相

木(き)の部・9画
上下型／丶(てん)

- **くん** そめる　母は週に一回、ヘアカラーでしらがを**染める**。
- そまる　チョコレートをもらって、ほおが赤く**染まる**のを感じた。
- (しみる)　どろ水がくつ下まで**染みる**と、ぜったい母におこられる。
- (しみ)　アルコールを使って、服の**染み**をとる。
- **おん** (セン)　草花を煮出したしるで、布を**染色**する。
- インフルエンザに**感染**しないよう、うがいと手洗いをする。

いみ そめる・そまる・うつる●染み抜き・染め上がり・染め粉・染め直し・染め物・染色・染織・染髪・染料・汚染・感染・伝染

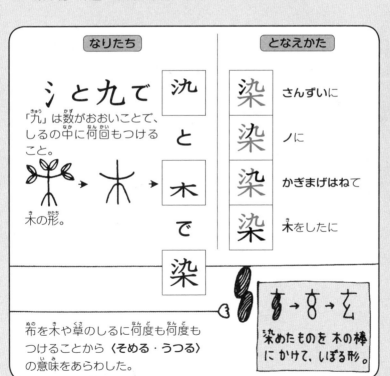

きを つけよう　「染みる」は「染る」としない。

片(かた)の部・4画
□その他型／ノ(ななめぼう)

- **くん** かた　自転車を片手で運転するのは、とても危険だ。
- **おん** (ヘン)　割れたガラスのびんの破片で、手にけがをした。
　　　　幼いころのことは、断片的にしか覚えていない。

いみ 二つのものの一方・きれはし ● 片意地・片一方・片腕・片親・片側・片言・片手・片手間・片時・片方・片道・片鱗・一片・紙片・断片・破片・木片

なりたち

木をたてに分けた右がわの形。

木を二つに分けた、かたほうのことから〈二つのものの一方・きれはし〉の意味をあらわした。

となえかた

ノをたてて

てん 一 かいたら

かぎをかく

木をたてに二つにわると

クイズ　「片棒をかつぐ」の意味は？　①対立　②協力　③努力

艹(くさかんむり)の部・8画
上下型／一(よこぼう)

くん わかい　　わたしの母方の祖母は、祖父より十歳も**若**い。
　　　　　　　　春の野山は、**若**草の緑がまぶしい。
　（もしくは）　わたし**若**しくは兄が、お見舞いにいきます。
おん （ジャク）　この作家は、**若**年層の読者に人気がある。
　（ニャク）　祭りには**老若**男女を問わず、多くの住民が参加する。

いみ ❶**わかい**●若草・若気・若手・若葉・若水・若芽・若者・若年・若輩・老若(老若)・老若男女・若人　❷**いくらか**●若干
●**特別な読み**…(若人)

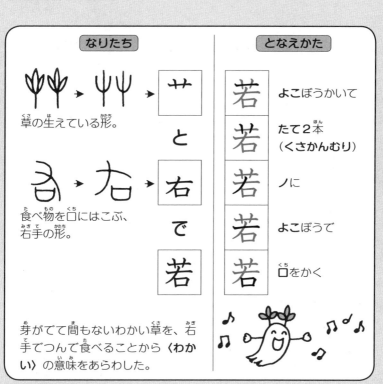

きを　つけよう　「若しくは」は「若くは」としない。

艹（くさかんむり）の部・11画
上下型／一（よこぼう）

くん （あらわす）　福沢諭吉は「学問のすすめ」などの書物を**著**した。
（いちじるしい）　毎日の練習で、なわとびが**著**しく上達した。
おん チョ　読書カードに、読んだ本の題名と**著者**名を書く。

いみ ❶かきあらわす・かきあらわした本●著作・著作権・著者・著述・著書・共著・編著・名著　❷あらわれる・あきらかになる・名高くなる●著大・著名・著明・顕著

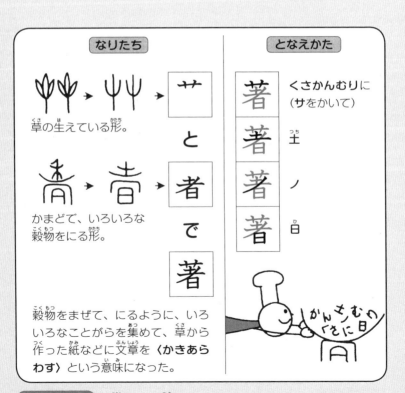

126　きを　つけよう　「著す」は「著わす」としない。

サ（くさかんむり）の部・13画
上下型／一（よこぼう）

- **くん** （**むす**） サツマイモは、**蒸す**のも焼くのもおいしい。
- （**むれる**） くつがぬれると、そのあと足が**蒸れる**のが不快だ。
- （**むらす**） ごはんがたきあがったら、十分くらい**蒸らす**とおいしい。
- **おん** ジョウ やかんの口から、**蒸気**がふきだしている。
  水蒸気の圧力を動力として使うのが、**蒸気機関**だ。

いみ ❶むす・むれる ●蒸し器・蒸しパン・蒸し風呂・蒸し焼き・茶わん蒸し ❷水が気体になってのぼること ●蒸気・蒸気機関・蒸発・蒸留水・水蒸気

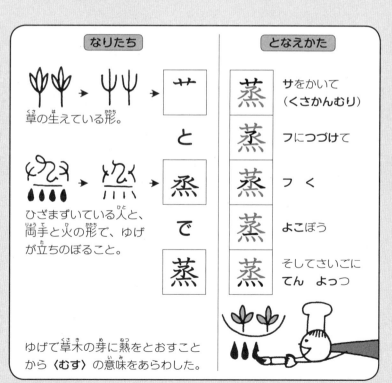

きを つけよう 蒸の「了」を「子」としない。

くさかんむりの部・15画
上下型／一（よこぼう）

くん （くら） おじいちゃんの家では、古い道具を**蔵**にしまってある。
蔵出しの新しいみそは、なにに使ってもおいしい。

おん ゾウ ぼくの小学校の図書室には、たくさんの**蔵書**がある。
たしか**冷蔵庫**に、フルーツゼリーがあったはずだ。

いみ ❶**くら・ものを入れておくたてもの**●蔵出し・穴蔵・家蔵・米蔵・酒蔵・土蔵 ❷**たくわえる・しまっておく**●蔵書・蔵本・所蔵・貯蔵・内蔵・秘蔵・埋蔵・冷蔵・冷蔵庫

なりたち

草が、ぼうぼうしげっている形。

目玉をむいている形で、見はること。

宝物などを草むらの中にかくし、上からおおいをかぶせて見はることから、ものを入れておく〈くら〉の意味をあらわした。

となえかた

蔵 くさかんむりに ノをかいて

蔵 よこ一

蔵 たて よこ

蔵 チョン コ チョン よこ

蔵 たすきにてん

きを つけよう 蔵の右上の「丶」を忘れずに書く。

竹(たけ)の部・12画
上下型／ノ(ななめぼう)

くん ——
おん サク　台風シーズンにそなえて、いろいろと**対策**をたてる。
今のうちに、すなおにあやまっておいたほうが**得策**だ。

いみ はかりごと・たくらみ ●策士・策動・策謀・策略・画策・国策・具体策・施策・失策・術策・政策・善後策・対策・得策・方策・秘策・方策・良策

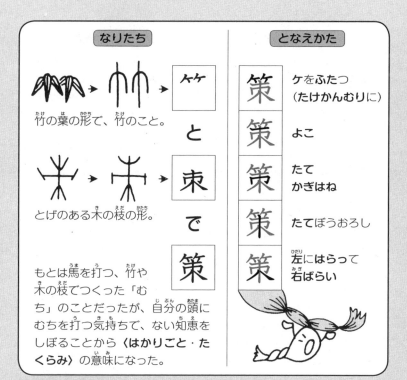

なりたち

竹の葉の形で、竹のこと。

とげのある木の枝の形。

もとは馬を打つ、竹や木の枝でつくった「むち」のことだったが、自分の頭にむちを打つ気持ちで、ない知恵をしぼることから〈はかりごと・たくらみ〉の意味になった。

竹 と 束 で 策

となえかた

- ケをふたつ（たけかんむりに）
- よこ
- たて　かぎはね
- たてぼうおろし
- 左にはらって右ばらい

きを　つけよう　策の「束」を「束」としない。

竹(たけ)の部・18画
上下型／ノ(ななめぼう)

くん ——
おん カン

復習問題は**簡単**なので、すぐに解けるはずだ。
平城宮跡から、奈良時代の**木簡**が出土した。
被災地の避難所には、**簡易**トイレが設置された。

いみ ❶**書物・手紙**●書簡・竹簡・木簡 ❷**てがる・はぶく**●簡易・簡潔・簡素・簡単・簡便・簡明・簡約・簡略

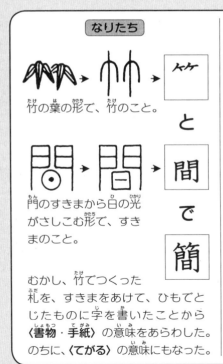

なりたち

竹の葉の形で、竹のこと。

門のすきまから日の光がさしこむ形で、すきまのこと。

竹 と 間 で 簡

むかし、竹でつくった札を、すきまをあけて、ひもでとじたものに字を書いたことから〈書物・手紙〉の意味をあらわした。のちに、〈てがる〉の意味にもなった。

となえかた

ケをふたつ（たけかんむりに）

たてぼうかいてヨをつけて

たて　かぎはねて

よこぼう2本で

日をいれる

きを つけよう 簡の「間」を「問」としない。

竹(たけ)の部・12画
上下型／ノ(ななめぼう)

くん すじ
とり肉の**筋**をとって、下味をつけてから冷蔵庫に入れておく。
姿勢をよくするためには、まず**背筋**をのばす。
きのうのできごとについて、**筋道**を立てて説明する。
小説の**粗筋**を百字でまとめる。

おん キン
運動をして、**筋肉**をきたえる。
わたしの通う小学校は、**鉄筋**三階建てだ。

いみ ❶からだのすじ●首筋・背筋・鼻筋・筋骨・筋肉・随意筋・腹筋　❷ほそながい線●筋金・筋道・青筋・血筋・道筋・鉄筋　❸はなしのあらまし●筋書き・粗筋・本筋

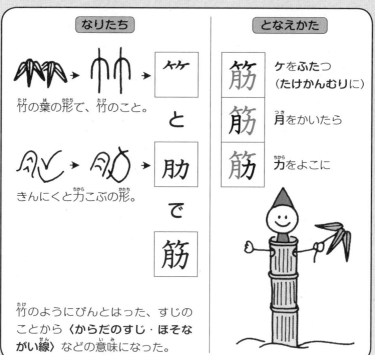

なりたち

竹の葉の形で、竹のこと。

と

きんにくと力こぶの形。

で

筋

竹のようにぴんとはった、すじのことから〈からだのすじ・ほそながい線〉などの意味になった。

となえかた

筋　ケをふたつ（たけかんむりに）
筋　月をかいたら
筋　力をよこに

クイズ　「**青筋**を立てる」の意味は？　①あわてる　②悲しむ　③おこる

禾(のぎへん)の部・14画
左右型／一(よこぼう)

くん ―
おん コク

米・麦・粟・黍・豆の五種の**穀**物を、**五穀**という。
この地方は農業がさかんで、野菜や**穀類**がよく育つ。
日本の**穀倉**地帯は、東日本に集中している。
母は、美容にいいからと、**雑穀米**を食べている。

いみ こくもつ● 穀倉・穀物・穀類・五穀・雑穀・新穀・脱穀・米穀

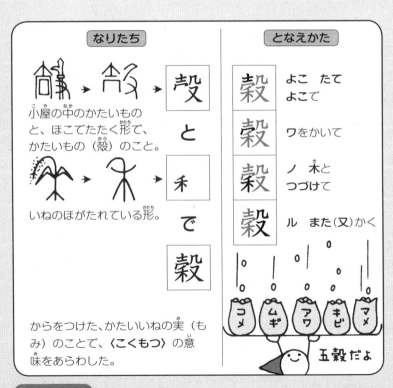

なりたち

小屋の中のかたいものと、ほこでたたく形で、かたいもの(殻)のこと。

いねのほがたれている形。

からをつけた、かたいいねの実(もみ)のことで、〈こくもつ〉の意味をあらわした。

殳 と 禾 で 穀

となえかた

穀 よこ たて よこで
穀 ワをかいて
穀 ノ 禾と つづけて
穀 ル また(又)かく

五穀だよ（コメ・ムギ・アワ・キビ・マメ）

きを つけよう 穀の「禾」を「木」としない。

米(こめ)の部・16画
左右型／丶(てん)

くん ——
おん トウ　粉の薬はにがてだけど、**糖衣錠**の薬はのみやすい。
　　　　　アリは**砂糖**など、あまいものが大好きだといわれている。
　　　　　父は肥満防止と健康のために、**糖分**をひかえている。

いみ とう・あめ　さとう ● 糖衣錠・糖化・糖尿病・糖分・糖類・果糖・砂糖・精糖・製糖・乳糖・麦芽糖・ぶどう糖

なりたち

いねのほがたれている形で、穀物のこと。

小屋の中で、物をにている形。

米 と 唐 で 糖

穀物をにて、そのあまいしるをつめてつくるもののことから〈あめ・さとう〉の意味をあらわした。

となえかた

糖　ソ
糖　木とかき（米へんに）
糖　てん 一 ノをたて
糖　ヨのなかながく
糖　たてぼう ひいたら 口をつける

きを つけよう　糖の「广」を「厂」としない。

禾(のぎへん)の部・7画
左右型／ノ(ななめぼう)

くん わたくし　私は、本町小学校六年三組の西山と申します。
　　　わたし　　これは、私の大好きな本のなかの一冊です。
おん シ　　　制服のかわいい、私立の中学校にかよいたい。
　　　　　　　授業中の私語はつつしむようにと、男子に注意した。

いみ ❶わたくし・じぶん・個人●私案・私見・私財・私事・私室・私情・私心・私信・私的・私鉄・私道・私費・私服・私物・私有・私用・私利・私立・公私・無私　❷ひそかに・こっそり●私語

なりたち

いねのほがたれている形。

うででかかえこむ形で、ひとりじめにすること。

とれたいねを、自分だけのものにすることから〈わたくし・じぶん〉の意味をあらわした。

となえかた

禾とつづけて（のぎへんに）かたかなのム

「公」という字はうででかかえこみひとりじめするのをおしのける形で「みんなのものにする」ということ。

クイズ　公私混□　□に入るのは？　①入　②同　③合

禾(のぎへん)の部・10画
左右型／ノ(ななめぼう)

くん (ひめる)　その姫は、悲しい思い出を胸に**秘**めていた。
おん ヒ　世界的な映画スターが、**極秘**に来日した。
　　　　山の上で見る夕焼けの空は、とても**神秘的**だ。

いみ ❶**かくす・しらせない**●秘策・秘術・秘書・秘蔵・秘伝・秘法・秘密・秘録・秘話・極秘・黙秘　❷**人の力では、はかりしれない**●秘境・神秘的

なりたち

いねのほがたれている形。

と

くいを立て、さかいをつくった形と、分けるしるし。

で

秘

さかいをつくり、たいせつな穀物を、ほかのものとは分けてしまっておくことから〈**かくす・しらせない**〉という意味をあらわした。

となえかた

秘	ノ 禾とかき（のぎへんに）
秘	てん ノ
秘	たてぼうはねて
秘	チョン チョンとかく

きを　つけよう　「秘める」は「秘る」としない。

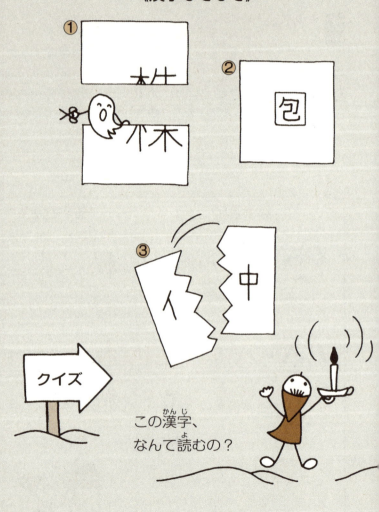

こたえは231ページ

土(つち)の部・8画
□その他型／ノ(ななめぼう)

くん たれる　いねの穂が**垂れる**と、いよいよ秋だと感じる。
　　　　　ぬれたかさはしずくが**垂れる**ので、広げてほしておく。
　　　たらす　ちかごろの女子は、前髪を**垂らす**のが、はやりらしい。
　　　　　なにも考えず、湖面につり糸を**垂らす**のが好きだ。
おん スイ　地面に**垂直**にくいを打って、そのあいだにロープを張る。
　　　　　懸垂をするたび、回数をかぞえて記録している。

いみ たれさがる ● 垂れ幕・垂下・垂線・垂直・垂範・胃下垂・懸垂・脳下垂体

なりたち

地面の上に、草木の花や葉がたれる形。

植物が、土の上にたれる形から〈たれさがる〉の意味をあらわした。

となえかた

垂　ノ ーの
垂　よこで
垂　たて2本
垂　そこをとじたら
垂　たて よこぼう

クイズ　雨垂れ□をうがつ　□に入るのは？　①山　②岩　③石

尸(しかばね)の部・14画
上下型／一(よこぼう)

くん ——
おん ソウ　県北部の古い**地層**から、新種の恐竜の化石が出た。
　　　　　ここ数年で、駅前の**高層**ビルが一気に増えた。
　　　　　スズメバチの巣は、内部が**階層**構造になっている。

いみ かさなる　かさなり● 層雲・層積雲・階層・下層・高層・上層・断層・地層・中層・乱層雲

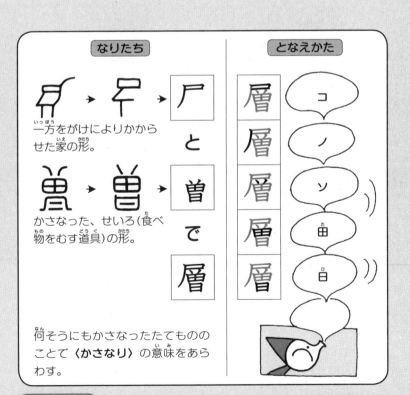

なりたち

一方をがけによりかからせた家の形。
→ 尸 と

かさなった、せいろ(食べ物をむす道具)の形。
→ 曽 で

→ 層

何そうにもかさなったたてもののことで〈かさなり〉の意味をあらわす。

となえかた

層　コ
層　ノ
層　ソ
層　曲
層　日

きを つけよう　層の「尸」を「戸」としない。

門（もんがまえ）の部・11画
□その他型／｜（たてぼう）

- **くん** とじる　もう、ねる時間なので、しおりをはさんで本を閉じる。
- しめる　夜は用心のために、雨戸を閉める。
- しまる　駅前のスーパーマーケットは、夜十時に閉まる。
- （とざす）　おじいちゃんは、戦争の話になると口を閉ざす。
- **おん** ヘイ　博物館の閉館時間は四時半だから、三時までに入りたい。

いみ ❶しめる・ふさぐ● 閉鎖・閉山・閉門・開閉・密閉・幽閉　❷おわる● 閉会・閉館・閉業・閉店・閉幕

なりたち

門 → 門 → 門
門の形。

と

ヰ → オ → オ
たてよこにさしこむ木で、かんぬきのこと。

で

閉

門にかんぬきをさして、とびらがあかないようにすることで〈しめる・ふさぐ〉の意味をあらわした。

となえかた

閉　たてぼう
閉　かなのヨ
閉　たて　かぎはねて
閉　よこぼう2本で
閉　オをいれる

あかないよ

さんこう　閉の反対の意味の字…開

門(もんがまえ)の部・14画
□その他型／丨(たてぼう)

くん ―
おん カク

犬山城は、日本最古の**天守閣**をもつといわれる。
内閣の総辞職がきまり、明日には新首相が選ばれる。
新しい首相が、さっそく**閣僚名簿**を発表した。

いみ ❶高いたてもの ●金閣・銀閣・天守閣・仏閣・楼閣 ❷内閣のこと
●閣議・閣僚・閣下・組閣・内閣・入閣

なりたち

門 → 門 → 門

門の形。

と

さかさまの足と、口の形で、人のいうことがそれぞれちがうこと。

→ 各

で

閣

門で、ひとりひとりの用件をきいてから中に入れるような、りっぱなたてもののことから〈高いたてもの〉の意味をあらわした。

となえかた

閣 たてぼう ヨをかき
閣 たて かぎはねて
閣 よこぼう2本で
閣 クに右ばらい
閣 したにかん字の口いれる

クイズ 閣－各＋竹＋日＝？

宀（うかんむり）の部・8画
上下型／丶（てん）

くん ―

おん シュウ　キリスト教、イスラム教、仏教は、世界の**三大宗教**だ。
（ソウ）　祖母は、茶道の**宗家**から、じきじきに免状をもらっている。

いみ ❶神や仏のおしえ●宗教・宗旨・宗徒・宗派・宗門・一向宗・改宗・浄土宗・浄土真宗・真言宗・禅宗・天台宗・律宗　❷いえもと・かしら●宗家・宗室・宗匠

なりたち	となえかた
家のやねの形。→ 宀 と	宗　ウかんむり（ウをかいて）
神をまつる祭だんの形。→ 示 で	宗　よこ　よこ
宗	宗　たてはね
祖先をまつる祭だんがある家のことから〈神や仏のおしえ〉の意味をあらわした。また、同じ先祖からでた一族ということから〈いえもと〉の意味もあらわした。	宗　ハをつける

47ページのこたえ
モク　め
ロ　じ
はた　キ
ス　ゾ
モウ　け

きを　つけよう　宗の「示」を「禾」としない。

宀（うかんむり）の部・6画
上下型／丶（てん）

くん ―

おん ウ　宇宙の果てについて考えると、気が遠くなる。
宇宙飛行士になって、月世界へ旅行してみたい。

いみ ❶のき・やね● 宇下・堂宇　❷大きなやねの下・てん・天地四方●
宇宙・宇宙開発・宇宙船・宇宙線・宇宙飛行士・銀河系宇宙・小宇宙・大宇宙

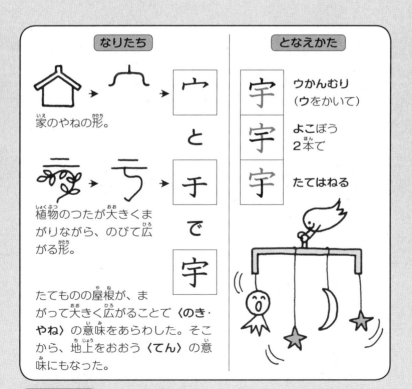

きを つけよう　宇と似ている字…字

宀（うかんむり）の部・8画
上下型／丶（てん）

くん ——
おん チュウ

宇宙旅行は、実現する日が近いといわれている。
来週から、体操クラブで**宙返り**の練習をする。
ぼくのかぜで、家族旅行の計画が**宙**に浮いてしまった。

いみ おおぞら・せかい・くうちゅう ● 宙返り・宙づり・宙ぶらりん・宇宙・宇宙線

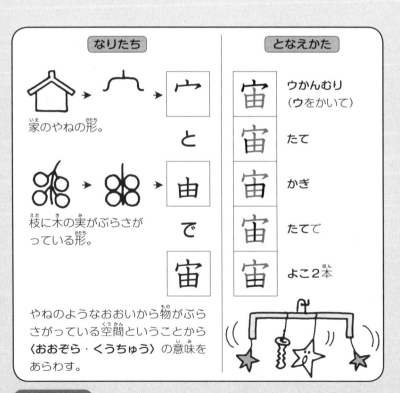

なりたち

家のやねの形。→ 宀

枝に木の実がぶらさがっている形。→ 由

やねのようなおおいから物がぶらさがっている空間ということから〈おおぞら・くうちゅう〉の意味をあらわす。

となえかた

宙 ウかんむり（ウをかいて）
宙 たて
宙 かぎ
宙 たてで
宙 よこ2本

きを つけよう 宙の「由」を「田」「甲」「申」としない。

宀（うかんむり）の部・8画
上下型／ヽ（てん）

- **くん** たから　わたしの**宝物**は、祖母にもらったクマのぬいぐるみだ。
- **おん** ホウ　**宝石**のなかでは、真っ赤なルビーが好きだ。
　　　　　この雨がっぱは小さくたためるので、**重宝**している。

いみ ❶たから・たからもの●宝船・宝物（宝物）・宝玉・宝庫・宝石・宝刀・家宝・国宝・財宝・三宝・秘宝　❷とうとい・りっぱな・やくにたち手本となる●宝鑑・宝典・重宝

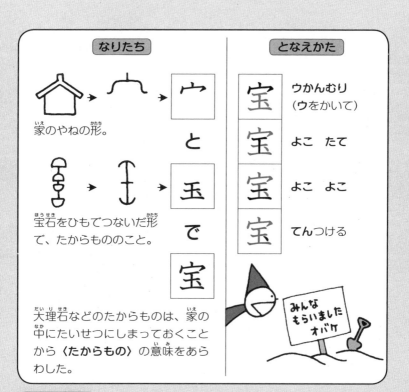

きを つけよう　宝の「玉」の「ヽ」を忘れずに書く。

宀（うかんむり）の部・6画
上下型／丶（てん）

くん ——
おん タク　自宅から学校までは、歩いて十分くらいかかる。
このあたりは、市内でいちばん静かな住宅地だ。
きのう、父はめずらしく、午後六時すぎに帰宅した。

いみ すまい・やしき ● 宅地・宅配・家宅・帰宅・旧宅・居宅・在宅・私宅・自宅・社宅・住宅・新宅・邸宅・転宅・別宅・本宅

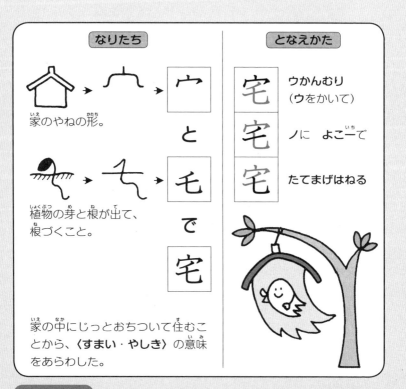

なりたち

家のやねの形。

植物の芽と根が出て、根づくこと。

宀 と 乇 で 宅

家の中にじっとおちついて住むことから、〈すまい・やしき〉の意味をあらわした。

となえかた

宅　ウかんむり（ウをかいて）

宅　ノに よこ一で

宅　たてまげはねる

きを つけよう　宅の「乇」の「ノ」を「一」としない。

宀(うかんむり)の部・9画
上下型／丶(てん)

くん ―

おん セン
新しい映画が、テレビや新聞で大大的に**宣伝**されている。
ザビエルは、はじめて日本にきたキリスト教の**宣教師**だ。
西田くんは、運動会で**選手宣誓**をすることになっている。

いみ
① ひろめる・しらせる ● 宣教師・宣言・宣告・宣誓・宣戦・宣伝
② みことのり・神や天子のことば ● 院宣・託宣

なりたち

家のやねの形。

ろうかをぐるぐる回ること。

宀 と 亘 で 宣

長いろうかを通っていったおくに、天子が命令をくだす大広間があったところから〈**ひろめる・神や天子のことば**〉の意味をあらわした。

となえかた

宣　ウかんむり（ウをかいて）
宣　よこ一
宣　日をかき
宣　よこぼうながく

きを つけよう　宣の「亘」を「且」としない。

宀(うかんむり)の部・11画
上下型／丶(てん)

くん ——
おん ミツ　おかしをもらったことは、二人だけの**秘密**だよ。
夏休みの宿題は、**綿密**な計画を立ててやるつもりだ。
日本の**精密機械**は、世界的に高く評価されている。

いみ ❶**ひそかにする**●密会・密議・密航・密告・密書・密談・密入国・密売・密命・密約・密輸・密漁・機密・内密・秘密　❷**すきまがない・こまかい・ゆきとどいている**●密室・密集・密接・密着・密度・密封・密閉・密林・厳密・親密・精密・綿密

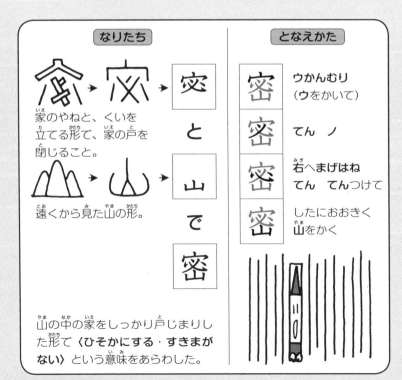

148　きを　つけよう　密と似ている字…蜜

广(まだれ)の部・5画
□その他型／ヽ(てん)

くん ——
おん チョウ

新しい市役所の**庁舎**ができて、今日から開いている。
父は**県庁**の林業課に勤めていて、毎日山にいっている。
日本の**中央官庁**は、東京の霞が関に集中している。

いみ 役所 ● 庁舎・官庁・教育庁・警視庁・県庁・支庁・消防庁・登庁・道庁・都庁・特許庁・府庁

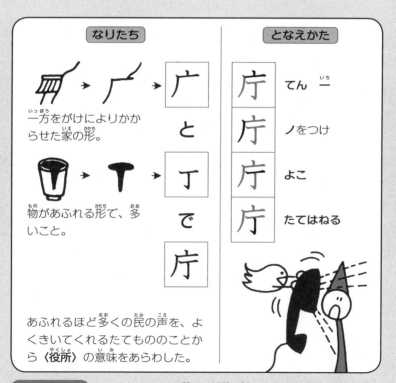

なりたち

一方をがけによりかからせた家の形。

物があふれる形で、多いこと。

广 と 丁 で 庁

あふれるほど多くの民の声を、よくきいてくれるたてもののことから〈役所〉の意味をあらわした。

となえかた

庁	てん 一
庁	ノをつけ
庁	よこ
庁	たてはね

きをつけよう 庁の「丁」のたて棒は、横棒の上につきでない。

广(まだれ)の部・10画
その他型／丶(てん)

くん (すわる)　食事のときにきちんと座るのは、あたりまえだ。
おん ザ　　お年寄りに座席をゆずるのは、案外勇気がいる。
　　　　　　ギリシア神話を読んで、星座の伝説を調べる。
　　　　　　市民祭りで、旅回りの一座のお芝居を見た。

いみ
❶**すわる・すわる場所**●座興・座高・座敷・座席・座神・座像・座談・上座・玉座・高座・講座・下座・正座・星座・即座・中座
❷**劇場・劇団のこと**●座長・一座・歌舞伎座

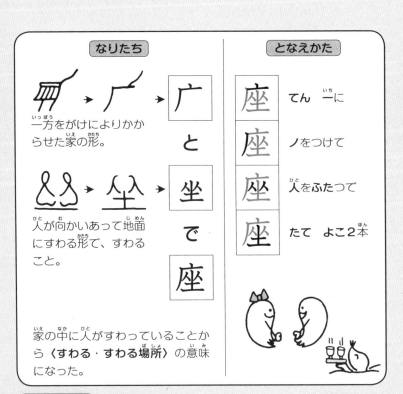

きを　つけよう　「座る」は「座わる」としない。

□(くにがまえ)の部・7画
□その他型／｜(たてぼう)

くん こまる　弟は泣き虫で**困る**けど、かわいいから大好きだ。
　　　　　　　最近、学校の宿題が多くて**困**っている。
おん コン　　南極探検隊は、多くの**困難**にぶつかった。
　　　　　　　世界には、**貧困**に苦しむ人たちがたくさんいる。
　　　　　　　いきなり記者に質問され、山田くんは**困惑**ぎみだった。

いみ こまる・くるしみ ● 困却・困窮・困苦・困難・困惑・貧困

なりたち

やしきのかこいの形と、木の形。

古いやしきに大木がしげっていると、むやみに切るわけにもいかず、このままでは日かげにもなるので、こまったものだということから〈こまる・くるしみ〉の意味をあらわした。

となえかた

 たて

 かぎ

 木をいれ

 そこふさぐ

きを　つけよう　　困と似ている字…因

ツ(つ)の部・17画
上下型／丶(てん)

- **くん** きびしい　年末は、警察署や消防署の警戒が**厳しい**。
  　　　　　　　　毎年、一月から二月が、いちばん寒さが**厳しい**。
  （おごそか）　三月二十日、卒業式が**厳か**におこなわれた。
- **おん** ゲン　　　定刻に出発できるよう、集合時間を**厳守**する。
  （ゴン）　　パイプオルガンの**荘厳**な音色に、耳をかたむける。

いみ ❶**きびしい・はげしい**●厳戒・厳格・厳寒・厳禁・厳守・厳重・厳正・厳選・厳冬・厳罰・厳父・厳密・厳命　❷**おごそか・いかめしい**●厳粛・厳然・威厳・謹厳・荘厳・尊厳

なりたち

厂 → 严 → 严

口が二つで口やかましいことと、がけの形。

→ 敢 → 敢

手と耳と、むちを持つ手の形で、わざわざいうこと。

严 と 敢 で 厳

がけに立っている人に「あぶない」と、わざわざ口うるさくいうことから〈きびしい〉の意味をあらわす。

となえかた

厳	ツに よこ一で ノをつけて
厳	工に たて よこ よこで もちあげて
厳	たてぼう ひいたら
厳	ノ 一と つづけて
厳	左右にはらう

コノページハきま!

きを つけよう　「厳か」は「厳そか」としない。

日(ひ)の部・12画
左右型／l(たてぼう)

くん —
おん バン

十二月になったとたん、**朝晩**の寒さがとても身にしみる。
春のはじめは早春といい、終わりは**晩春**という。
ぼくは**大器晩成型**だと、みんなによくいわれる。

いみ
①**ばん・ゆうがた・よる**● 晩さん・晩鐘・朝晩・今晩・昨晩・明晩
②**時期がおそい・おわり**● 晩夏・晩学・晩秋・晩春・晩成・晩冬・晩稲・晩年・早晩

なりたち

お日さまの形。

うさぎの形。

日と免で晩

むかしは、月にうさぎがいると考えられていた。そこで、日がしずんだ、月の出はじめに見えるうさぎのもようということで〈ばん〉の意味にした。

となえかた

晩 日をかいて
晩 かなのク
晩 たて　かぎ
晩 たて　そことじて
晩 ノをかいたら たてまげはねる

クイズ □器晩成　□に入るのは？　①大　②小　③才

日(ひ)の部・14画
上下型／一(よこぼう)

くん	くれる	夢中で遊んでいるうちに、すっかり日が暮れてしまった。
	くらす	母の夢は、大自然の中でのんびり暮らすことだそうだ。
おん	(ボ)	**お歳暮**やお中元の時期には、デパートが繁盛する。

いみ ❶日がくれる・日がくれるころ●明け暮れ・日暮れ・夕暮れ・暮雲・暮色・暮天・薄暮 ❷きせつや年がおわる・おわるころ●暮秋・暮春・暮齢・歳暮 ❸せいかつする●暮らし

なりたち

草のあいだに日がしずむ形で、夕ぐれのこと。

お日さまの形。

「莫」はもともと〈日がくれる〉の意味だったが、のちに、〈みえなくなる・ない〉の意味に使われるようになった。そのため「莫」の下にもう一つ「日」をいれ「暮」とし、〈日がくれる〉の意味にした。

となえかた

暮	よこぼうかいてたて2本
暮	お日さまの日に
暮	よこぼうで
暮	左にはらって右ばらい
暮	したにもひとつ日をいれる

モグラの好きな字だよ

きを つけよう　暮と似ている字…墓・幕

日(ひ)の部・9画
左右型／1(たてぼう)

くん うつる　　今日は中秋の名月で、まんまるな月が水面に**映**る。
　　　 うつす　　鏡に顔を**映**すと、顔中どろだらけだった。
　　　（はえる）　青い空に赤いもみじが**映**えて、美しい。
おん エイ　　　夏休みに、はじめて父と二人で**映**画をみる。
　　　　　　　　流行語は、世相を反**映**するといわれている。

いみ うつる・うつす・かがやく ● 夕映え・映画・映写機・映像・照映・上映・続映・反映・放映

きを つけよう　「映える」は「映る」としない。

日（ひ）の部・13画
□ 左右型／｜（たてぼう）

くん あたたか　学校の花壇に、春の**暖**かな日ざしがふりそそぐ。
　　　あたたかい　居間は南向きなので、冬でもけっこう**暖**かい。
　　　あたたまる　ストーブのまわりに集まって、みんなで**暖**まる。
　　　あたためる　ねる前にエアコンをつけて、部屋を**暖**めておく。
おん ダン　　　キャンプ場の夜は寒いので、たき火で**暖**をとる。
　　　　　　　　今年の夏は冷夏だったが、冬は**暖**冬になるらしい。
　　　　　　　　赤や黄、オレンジなどの色を**暖**色とよぶ。

いみ ❶あたたかい●暖色・暖地・暖冬・暖流・温暖・寒暖計・春暖
　　　❷あたためる●暖房・暖炉

なりたち

お日さまの形。

と

両方の手で物を持って、ひっぱる形で、ふくろの口がゆるむこと。

で

暖

ふくろの口をひっぱると、口がゆるむように、お日さまがでると、寒さがゆるんでくることから〈**あたたかい**〉の意味をあらわした。

となえかた

暖　日をかいて
暖　ノ ツと
　　つづけて
暖　よこぼうに
暖　友

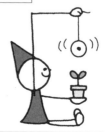

つかいわけ　**暖**かい春の一日。**温**かい人柄。

月(つき)の部・10画
左右型／丶(てん)

くん (ほがらか) 　朗らかな人をみると、こちらの気持ちも明るくなる。
　　　　　　　　　　朗らかな春の日、家族でピクニックにでかけた。

おん ロウ　　　　兄の大学合格を知らせる朗報がとどいた。
　　　　　　　　　　祖母は毎週、公民館で詩の朗読をしている。

いみ ❶ほがらか・あかるい● 朗報・清朗・天気晴朗・明朗　❷声たからか● 朗詠・朗吟・朗読・朗朗

なりたち

太陽が光を出しながら、うごいていく形。

月の形。

良 と 月 で 朗

太陽が光を出してうごく、よく晴れた日や、月がきよらかな日のように〈あかるい・ほがらか〉の意味をあらわした。

となえかた

朗　てん ヨに
朗　たてはね
朗　てんつけて
朗　ノに かぎはねて
朗　よこ2本

きを つけよう　「朗らか」は「朗か」としない。

水(みず)の部・16画
左右型／ヽ(てん)

くん はげしい　空が暗くなって、とつぜん**激しい**雨がふってきた。
　　　　　　　　かき氷を食べたあと、**激しい**腹痛におそわれた。

おん ゲキ　　　決勝戦は思ったとおり、**激戦**になった。
　　　　　　　　あまりのうれしさに**感激**して、さけんでしまった。

いみ ❶はげしい・いきおいがつよい● 激化・激戦・激増・激痛・激動・激突・激変・激務・激流・激烈・激論・過激・急激・刺激　❷はげしくうごかす●激賞・激震・激励・感激

なりたち

氷 → 氵 → 氵
水の流れの形。

𣪘 → 敫 → 敫
白の光と、ふねと手にむちを持つ形で、四方にとびちること。

と

で

激

岩にあたってとびちる水に、白の光があたって、つよくかがやくようすから〈はげしい・いきおいがつよい〉の意味をあらわす。

となえかた

激　さんずいに（氵をかいて）

激　白をかき

激　てん 一
　　かぎまげはねて
　　ノをつけて

激　ノ 一とかいたら

激　左右にはらう

きを　つけよう　　激の「攵」を「欠」としない。

水(みず)の部・9画
左右型／丶(てん)

くん ——
おん ハ 　生け花や茶道には、多くの流派がある。
　　　　海外特派員が、現地の状況を生中継で伝える。

いみ ❶わかれる・わかれたもの●派生・派閥・右派・学派・左派・宗派・進歩派・党派　分派・別派・保守派・流派　❷わけてさしむける●派遣・派出所・派兵・特派員

なりたち	となえかた
氺 → 氵 → 氵 水の流れの形。 と 夰 → 爪 → 爪 大きな川から分かれた支流のこと。 で 派	派 さんずいに（シをかいて） 派 ノにノをたてて 派 イをかいて 派 左にはらって 派 右ばらい
川の本流から分かれた支流のことで〈わかれる〉の意味をあらわす。	爪 → 爪 → 永 支流から本流に集まり、どこまでもつづくこと。

きを　つけよう　派と似ている字…脈

水(みず)の部・11画
左右型／丶(てん)

くん すむ　リコーダーの演奏のテストが済んで、ほっとした。
　　　すます　夜、花火を見るために、夕食の前に宿題を済ます。
　　　　　　　食欲がないので、昼食をおにぎりで済ます。
おん サイ　母に借りたお金を返済する。
　　　　　　　国連難民高等弁務官事務所は、難民を救済する国際機関だ。

いみ ❶すませる・かしかりをなくす ● 完済・決済・返済・弁済・未済
　　　　❷すくう・たすける ● 済世・済度・救済・共済組合・経済

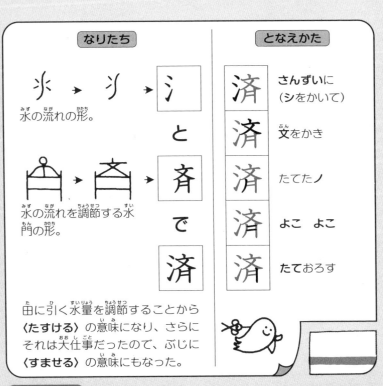

きを　つけよう　済の「文」の下を「月」としない。

水(みず)の部・8画
左右型／丶(てん)

くん そう　このまま川に沿って歩くと、小学校がある。
自転車で海沿いの道を走るのは、気持ちがいい。

おん エン　この鉄道の沿線には、最近、田んぼや畑が少なくなった。
海岸から遠くない海でおこなう漁を、沿岸漁業という。

いみ はなれずについていく　そう●海沿い・川沿い・谷沿い・山沿い・沿海・沿革・沿岸・沿線・沿道

きを つけよう　沿の「八」を「へ」としない。

水(みず)の部・**9画**
左右型／ヽ(てん)

- **くん** あらう
  - どろんこ遊びでよごれた手を、水でよく**洗う**。
  - 少年たちの合唱は、心が**洗わ**れるような歌声だ。
  - 警察が、被害者の交友関係を**洗っ**ている。
- **おん** セン
  - 体操着は毎日、母に**洗濯**してもらう。
  - ピアノの先生は、いつも**洗練**された着こなしをしている。

いみ あらう・きれいにする ● 洗眼・洗顔・洗剤・洗浄・洗濯・洗髪・洗面・洗礼・洗練・水洗・筆洗

なりたち

氺 → 氵 → シ
水の流れの形。

𠯑 → 兂 → 先
足の先のこと。

シ と 先 で 洗

からだをあらうときは、足の先からじゅんに水に入れて、よごれをおとすことから〈**あらう・きれいにする**〉の意味をあらわす。

となえかた

洗	さんずいに (シをかいて)
洗	ノ 一
洗	たて よこ
洗	ひとのあし

きを つけよう 　洗の「儿」を「ル」としない。

水(みず)の部・15画
左右型／丶(てん)

くん しお　いそ遊びでは、潮の満ち干に注意しないと危険だ。
キーパーを交代させるとしたら、ちょうど今が潮時だ。
おん チョウ　少年が乗った小船は、潮流にのって南へ南へと流された。

いみ ❶海水・海水のみちひ● 潮風・潮路・潮干狩り・赤潮・大潮・親潮・黒潮・高潮・引き潮・潮流・干潮・高潮・満潮　❷とき・よのなかのようすや考えのうごき● 潮時・最高潮・思潮・風潮

なりたち

氷 → 氵 → 氵
水の流れの形。

と

朝 → 朝 → 朝
草のあいだから日が出たのに、まだ月がのこる形で、朝のこと。

潮

朝の海水は、月や太陽の引力によって、みちたりひいたりするところから〈海水のみちひ〉の意味をあらわした。夕方の海水のみちひは「汐」と書く。

となえかた

潮　さんずいに
　　（シをかいて）

潮　よこ　たて

潮　日をかき

潮　よこで　たて

潮　そしてさいごに
　　月をかく

つかいわけ　潮が満ちる。塩をまぶす。

水（みず）の部・9画
上下型／ノ（ななめぼう）

- **くん** いずみ　　泉からわきでる水は、とても冷たい。
- **おん** セン　　火山がたくさんある日本列島には、温泉が多い。
　　　　　　　毎日の活力の源泉は、おいしい朝ごはんだ。
　　　　　　　不思議な効能があるという霊泉を、くみにいった。

いみ ❶いずみ●泉水・温泉・間欠泉・鉱泉・清泉・冷泉・霊泉　❷みなもと●源泉

なりたち

岩のおく深い穴から、水がわき出る形。

いずみがわき出て流れだし、川になることから〈いずみ・みなもと〉の意味になった。

泉……いずみ
原……がけ下の いずみ
源……「原」が「のはら」の意味に 使われるように なったので、もとの意味の「みなもと」のときは、もうひとつ「水」の意味を表す「さんずい」を つけるように なった。

となえかた

泉	ノ 曰
泉	たてはねて
泉	フをかいて
泉	左にはらって
泉	右ばらい

きを つけよう　泉の「水」を「氺」としない。

水(みず)の部・13画
左右型／ヽ(てん)

くん みなもと　ひらがなやかたかなの**源**は、漢字だ。
おん ゲン　利根川の**源流**は、関東地方の**水源**になっている。
　　　　　かぎられた**資源**を大切に使おう。
　　　　　映画が始まるので、携帯電話の**電源**を切る。

いみ みなもと・ものごとのはじまり ● 源流・起源・光源・語源・根源・財源・資源・震源・水源・電源・熱源・本源

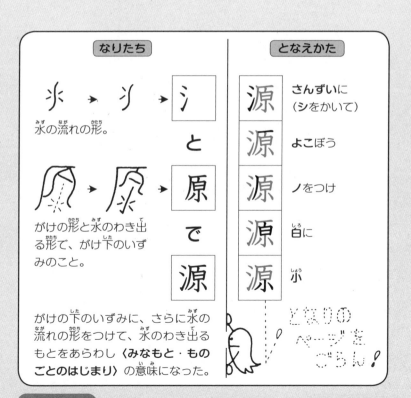

なりたち

水 → シ → シ
水の流れの形。

→ 原 → 原
がけの形と水のわき出る形で、がけ下のいずみのこと。

シ と 原 で 源

がけの下のいずみに、さらに水の流れの形をつけて、水のわき出るもとをあらわし〈みなもと・ものごとのはじまり〉の意味になった。

となえかた

源　さんずいに（シをかいて）
源　よこぼう
源　ノをつけ
源　白に
源　小

となりのページをごらん！

きを つけよう　源の「小」を「水」としない。

阝(こざと へん)の部・10画
左右型／一(よこぼう)

- **くん** おりる　自宅へは、駅からバスに乗って、五つめの停留所で**降りる**。
  - おろす　校旗は、始業前にかかげ、放課後に**降ろす**。
  - ふる　　午後から雨が**降る**予報なので、かさを持って出かける。
  - 　　　　**降って**わいたような災難に、地域の人はとまどっている。
- **おん** コウ　今回の**降雪**で、あたり一帯は雪景色になった。

いみ ❶**おりる・くだる** ●降下・降車・降誕・降臨・下降・昇降・乗降
❷**天からふる** ●霜降り・降雨・降水量・降雪　❸**まける・したがう** ●降参・降伏

なりたち

がけの断層の形。

両足が下を向いている形で、こちらにやってくること。

高い山や、がけから、低いところにおりてくることで、山やおか、坂などを〈おりる・くだる〉などの意味をあらわした。

となえかた

フにつづけて
たてながく
(こざとへん)
クに右ばらい
よこ　たて
よこで
たておろす

さんこう　　降の反対の意味の字…乗・昇

阝(こざとへん)の部・10画
左右型／一(よこぼう)

くん ——
おん ヘイ　天皇皇后両**陛下**は、国民体育大会の開会式に出席された。
皇后**陛下**は、民間から皇室に入られた。

いみ 宮殿にのぼるかいだん・皇帝や天皇などをうやまっていうことば
陛下・皇后陛下・皇太后陛下・天皇陛下

なりたち

がけの断層の形で、つみあげた土のこと。 → 阝

ならんだ形と、土の形で、かいだんのこと。 → 坒

阝 と 坒 で 陛

高いところにのぼる、かいだんのことで〈宮殿にのぼるかいだん〉の意味になり、〈皇帝や天皇などをうやまっていうことば〉としてつかうようになった。

となえかた

陛
陛
陛
陛

こざとへん
｜
かなのヒ
はねて
｜
つぎのはまげはね
｜
したにかん字の土をかく

きを つけよう　陛の「土」を「士」としない。

阝（こざとへん）の部・14画
左右型／一（よこぼう）

くん（さわる）
相手のえらそうにしている態度が気に障る。
おいしいからといって食べすぎると、からだに障る。

おん ショウ
チームは、あらゆる障害をのりこえて優勝した。
エレベーターが故障中なので、階段を使う。

いみ しきる・さまたげる・さまたげるもの ● 障害・障子・障壁・故障・支障・万障・保障

なりたち

阝
がけの断層の形で、つみあげた土のこと。

章
口からでる音と、ぼうをたばねた形で、音がまとまってきわだつこと。

阝と章で障

がけがきわだってそびえ、空間をさえぎることから〈しきる・さまたげる〉の意味をあらわす。

となえかた

障 フにつづけて
障 たてぼうながく（こざとへん）
障 てん一 ソーで
障 日に
障 十をかく

つかいわけ 障害物競走に出場する。傷害事件が発生する。

阝(こざとへん)の部・10画
左右型／一(よこぼう)

くん のぞく　歩く人がすべらないように、道に積もった落ち葉を**除**く。
　　　　　　　砂をふるって小石を**除**くと、さらさらになる。

おん ジョ　今年はひさしぶりの大雪で、**除**雪車が出動した。
　　　　　　　大みそかの**除**夜の鐘をきくと、おごそかな気持ちになる。
　　（ジ）　　年末には、家族みんなで大**掃除**をする。

いみ ❶**すてる・とりさる**●除外・除去・除籍・除雪・除草・除虫・除幕式・除名・除夜の鐘・解除・駆除・削除・掃除・免除　❷**わる・わり算**●除数・除法・乗除

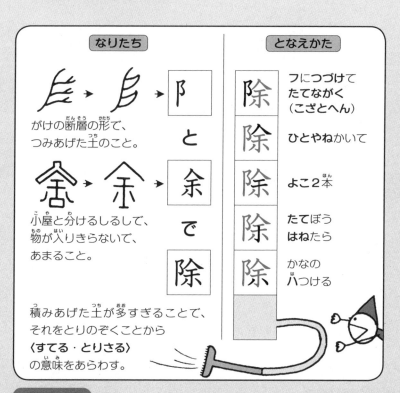

なりたち

がけの断層の形で、つみあげた土のこと。

小屋と分けるしるしで、物が入りきらないで、あまること。

積みあげた土が多すぎることで、それをとりのぞくことから〈すてる・とりさる〉の意味をあらわす。

となえかた

フにつづけて
たてながく
（こざとへん）

ひとやねかいて

よこ2本

たてぼう
はねたら

かなの
ハつける

きを　つけよう　除の「朩」を「示」としない。

阝(おおざと)の部・11画
左右型／ノ(ななめぼう)

くん ―
おん ユウ　はがきに懸賞クイズの答えを書いて、**郵送**する。
　　　　郵便局にいって、記念切手のシートを買う。
　　　　郵便受けに、大量の広告ちらしが投げこまれている。
　　　　封筒に、七けたの**郵便番号**を記入する。

いみ ゆうびんのこと ● 郵券・郵書・郵送・郵便・郵便受け・郵便局

なりたち

花や葉がたれる形で、野原のある遠い国ざかい。

領地と、ひれふしている人の形で、村のこと。

と

で

郵

遠い国ざかいの村にある、手紙の中継所のことから〈ゆうびんのこと〉をあらわす。

となえかた

郵	ノ 一の
郵	よこで
郵	たて2本
郵	そこをふさいで
郵	たておろし したから もちあげ
郵	フにつづけて たてながく

きを つけよう　郵の「垂」を「乗」としない。

阝（おおざと）の部・11画
左右型／ノ（ななめぼう）

くん ——
おん キョウ　母の**郷**里では、毎年大みそかにもちつきをする。
　　（ゴウ）　**郷**に入っては**郷**にしたがえ。

いみ ❶さと・いなか・ふるさと● 郷愁・郷土・郷里・家郷・帰郷・近郷・故郷・同郷・望郷　❷国・土地・ところ● 異郷・他郷・桃源郷・理想郷

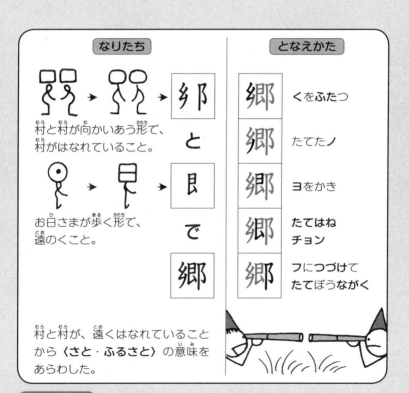

なりたち

村と村が向かいあう形で、村がはなれていること。

お日さまが歩く形で、遠のくこと。

村と村が、遠くはなれていることから〈さと・ふるさと〉の意味をあらわした。

となえかた

郷　くをふたつ
郷　たてたノ
郷　ヨをかき
郷　たてはねチョン
郷　フにつづけてたてぼうながく

クイズ　郷が入るのは？　①故□　②こう□　③勉□

《くみたてクイズ》

① 白い 王さま、なあに？

② 不に 口、なあに？

③ 土の 衣に たすきにてん、なあに？

④ もんの中に オバケのオ、なあに？

このクイズ
わかるかな？

⑤ やまいだれに マ 用、なあに？
⑥ 耳 口の 王さま、なあに？
⑦ あなかんむりに ム 心、なあに？
⑧ 王 リ 王、なあに？
⑨ 糸の ない（内）字は、なあに？

こたえは
231ページ

石(いし)の部・9画
左右型／一(よこぼう)

くん すな
砂浜でスイカ割りをしたのが、夏のいちばんの思い出だ。
むかしはよく、砂場でスコップやバケツを使って遊んだ。

おん サ
鳥取砂丘にいって、ラクダに乗る体験をした。
日本刀をつくるのには、今でも砂鉄を原料にしている。

（シャ）
大雨がふったときには、土砂による災害に気をつける。

いみ すな・すなのようにこまかい ● 砂遊び・砂煙・砂地・砂時計・砂場・砂浜・砂原・砂岩・砂丘・砂金・砂上・砂じん・砂鉄・砂土・砂糖・砂漠・砂防林・土砂・砂利

●特別な読み…(砂利)

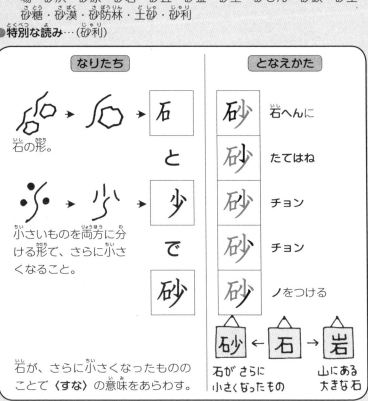

クイズ 「白砂青松」の意味は？ ①優しい ②難しい ③美しい

石(いし)の部・14画
左右型／一(よこぼう)

くん ——
おん ジ　方位磁石をたよりに山をくだる。
　　　　磁針はつねに南北をさす。
　　　　陶磁器の有田焼や九谷焼は、世界的に有名だ。

いみ ❶鉄をひきつける性質の鉱石●磁界・磁気・磁極・磁石・磁針・磁性・磁場・磁力　❷やきもの●磁器・青磁・陶磁器・白磁

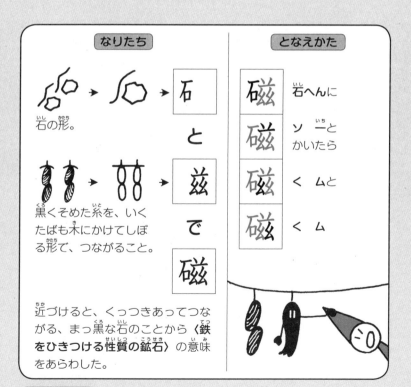

きを つけよう　磁と似ている字…滋

金(かね)の部・10画
左右型／ノ(ななめぼう)

くん はり
母は**針**仕事がとくいで、洋服もバッグも、なんでもつくる。
待ち針で布を仮止めするときは、ずれないように注意する。

おん シン
マツやスギは**針葉樹**、サクラやケヤキは広葉樹だ。
南から台風がせまるなか、船は**針路**を北にとった。
校舎の屋上には、大きな**避雷針**がついている。

いみ はり・はりのようにとがったもの ● 針金・針刺し・針仕事・針状・針箱・針山・待ち針・針葉樹・針路・運針・検針・時針・短針・長針・秒針・避雷針・分針・方針

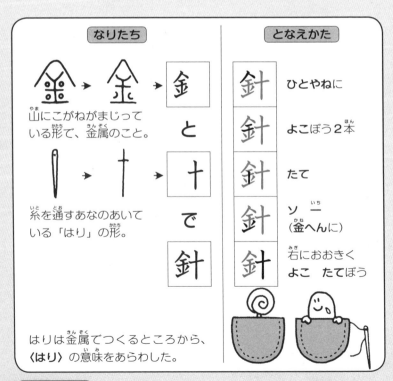

なりたち

山にこがねがまじっている形で、金属のこと。

糸を通すあなのあいている「はり」の形。

はりは金属でつくるところから、〈はり〉の意味をあらわした。

となえかた

針 ひとやねに
針 よこぼう2本
針 たて
針 ソー (金へんに)
針 右におおきく よこ たてぼう

クイズ 針小□大 □に入るのは？ ①広 ②雄 ③棒

金(かね)の部・14画
左右型／ノ(ななめぼう)

くん (ぜに) バスにのるときは、小銭をもっていたほうがよい。
大学生の兄は、短期のアルバイトで日銭をかせいでいる。
おん セン 中国の古銭には、刀の形をしたものがある。
おばあちゃんといっしょに、銭湯にいくのは楽しい。

いみ ❶ぜに・お金●小銭・日銭・銭財・銭湯・悪銭・余銭・古銭・さい銭・借銭・釣り銭・銅銭 ❷お金の単位・円の百分の一●一銭・一銭銅貨

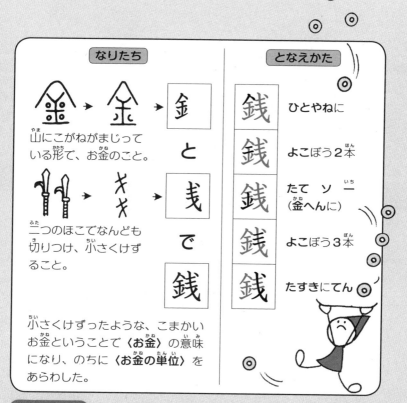

なりたち

山にこがねがまじっている形で、お金のこと。

二つのほこでなんども切りつけ、小さくけずること。

金 と 戈 で 銭

小さくけずったような、こまかいお金ということで〈お金〉の意味になり、のちに〈お金の単位〉をあらわした。

となえかた

銭　ひとやねに
銭　よこぼう2本
銭　たて ソ 一（金へんに）
銭　よこぼう3本
銭　たすきにてん

クイズ □に追い銭　□に入るのは？　①泥棒　②役者　③罪人

金(かね)の部・16画
左右型／ノ(ななめぼう)

くん (はがね) 彫刻刀の刃は、鉄を焼いてきたえた**鋼**でできている。
体操競技の選手たちの体は、まさに**鋼**の肉体だ。

おん コウ **鋼鉄**は、車や船、機械などの材料に広く使われている。
日本の近代的な鉄**鋼**業は、九州からはじまった。

いみ はがね・きたえあげたかたい鉄 ● 鋼管・鋼玉・鋼材・鋼線・鋼鉄・鋼板・製鋼・精鋼・鉄鋼・特殊鋼・軟鋼

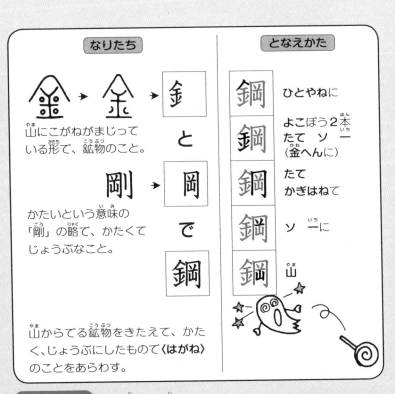

なりたち

山にこがねがまじっている形で、鉱物のこと。

かたいという意味の「剛」の略で、かたくてじょうぶなこと。

山からでる鉱物をきたえて、かたく、じょうぶにしたもので〈はがね〉のことをあらわす。

となえかた

鋼　ひとやねに
鋼　よこぼう2本
　　たて　ソ 一
　　(金へんに)
鋼　たて
　　かぎはねて
鋼　ソ 一に
鋼　山

きを　つけよう　鋼と似ている字…綱

穴(あな)の部・5画
上下型／丶(てん)

くん あな
祖母は老眼なのに、針の**穴**に糸を通すのがとくいだ。
いつもいっている川の少し下流で、つりの**穴**場を見つけた。
穴があったら入りたいほど、はずかしい体験をした。

おん (ケツ)
虎**穴**に入らずんば虎子を得ず。

いみ あな ● 穴埋め・穴蔵・穴場　大穴・落とし穴・抜け穴・洞穴・穴居・虎穴・墓穴

なりたち

穴 → 穴 → 穴

がけをほってあけた、あなの入り口の形。

がけをほってあけた、横穴の入り口の形から〈あな〉の意味をあらわした。

となえかた

穴　ウをかいて
穴　八をかく

クイズ　「墓穴をほる」の意味は？　①後悔　②失敗　③苦労

穴(あな)の部・11画
上下型／丶(てん)

- **くん** まど　外がすずしいので、窓をあけて風をいれる。
  郵便局の窓口で、年賀はがきを買う。
- **おん** ソウ　車窓の風景が、めまぐるしく移り変わっていく。
  母は今日、中学校の同窓会に出席している。

いみ ❶まど●窓掛け・窓際・窓口・窓辺・出窓・天窓・丸窓・窓外・車窓・船窓　❷いえやがっこうのこと●学窓・深窓・同窓会

なりたち

明かりとりのついている、ほらあなの形。

心臓の形。

宓 と 心 で 窓

人の上にある天井に開いている、大きな天まどのことから〈まど〉の意味になった。

となえかた

ウをかいて
かなのハをまげ
ムに
心

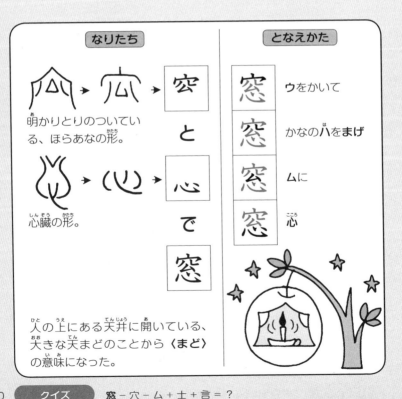

クイズ　窓 − 穴 − ム + 士 + 言 = ?

土(つち)の部・11画
左右型／一(よこぼう)

くん ―
おん イキ　落雷で、駅の北側の**地域**が停電になった。
　　　　　遊泳禁止区域には、近づかないようにする。
　　　　　オペラ歌手の**音域**は、とても広い。

いみ ❶土地のさかい・くぎり●海域・境域・区域・全域・地域・流域・領域　❷かぎられたはんい●音域・芸域・職域

なりたち

地面から芽が出た形で、土のこと。

国と国のさかいのしるしと、ほこの形。

地面にほこを立てて、国のさかいをはっきりしめしたことから〈土地のさかい・くぎり〉の意味をあらわした。

となえかた

土へんに
(よこ　たて　もちあげ)

一

口

もちあげ

たすきにてん

きを　つけよう　　域と似ている字…城

火(ひ)の部・6画
□その他型／一(よこぼう)

くん はい
わらを焼いてできた**灰**は、よい肥料になる。
灰色の空からは、今にも大つぶの雨がふりだしそうだ。
桜島の爆発で、鹿児島市内に大量の**火山灰**が降った。

おん (カイ)
石灰石は、セメントや肥料などの原料に使われる。

いみ はい・もえがら ● 灰色・灰皿・火山灰・死の灰・灰土・灰白色・灰分・降灰(降灰)・石灰・石灰石

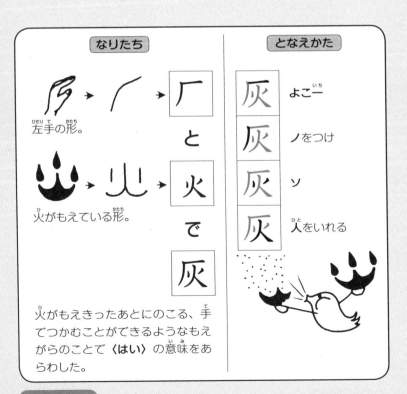

きを つけよう　灰の「厂」を「广」としない。

火(ひ)の部・15画
上下型／丶(てん)

くん (うれる) 庭のカキの実が、真っ赤に**熟れる**。
おん ジュク 卵は**半熟**にゆでたのが好きだ。
作曲家のモーツァルトは、**早熟**の天才として知られる。
運動会でつかれていたので、その夜は朝まで**熟睡**した。

いみ ❶にる・にえる●**熟食・半熟** ❷よくみのる・うれる●**完熟** ❸じゅうぶんに発育する●**成熟・早熟** ❹なれてじょうずになる・じゅうぶんによくする●**熟語・熟睡・熟達・熟知・熟読・熟慮・熟練・熟考・円熟・習熟**

なりたち
高いたてものと、人が手をのばした形で、神にそなえること。
火がもえている形。
食べ物をにて料理し、神にそなえることから〈**にえる・じゅうぶんによくする**〉の意味をあらわす。

となえかた
熟 てん 一
熟 口 子で
熟 すうじの九にてんつけて
熟 したにてんてんよっつつけ

きを つけよう 熟と似ている字…熱

几(つくえ)の部・5画
□その他型／ノ(ななめぼう)

くん ―

おん ショ

徳川家康は、**処世術**にたけた武将といわれる。
かぜがなかなかなおらないので、医師に薬を**処方**してもらう。
部屋をかたづけるために、不要なものは思いきって**処分**する。

いみ ❶いる・おちつく ●処世 ❷とりさばく・しまつをする ●処刑・処断・処置・処罰・処分・処方・処理・善処・対処

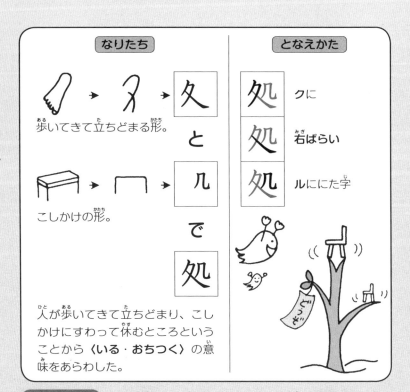

なりたち

歩いてきて立ちどまる形。

こしかけの形。

夂 と 几 で 処

人が歩いてきて立ちどまり、こしかけにすわって休むところということから〈いる・おちつく〉の意味をあらわした。

となえかた

処 クに
処 右ばらい
処 ルににた字

クイズ □処進退 □に入るのは？ ①出 ②入 ③対

皿(さら)の部・13画
上下型／1(たてぼう)

くん ——
おん メイ 　国際連合には、多くの国ぐにが**加盟**している。
　　　　　かたくちかいあった友人を、**盟友**という。
　　　　　京都市とパリ市は、姉妹都市の**盟約**を結んでいる。

いみ ちかう・ちかい・かたいやくそく ● 盟主・盟邦・盟約・盟友・会盟・加盟・血盟・結盟・攻守同盟・国際連盟・同盟・連盟

なりたち

窓と月の形で、明るく、はっきりすること。
→ 明

皿の形。
→ 皿

と

で

盟

皿に、いけにえの血を入れてそなえ、神の前で、はっきりとちかうことから〈ちかう・ちかい〉の意味をあらわした。

となえかた

盟　白に
盟　月で
盟　たて　かぎ
盟　たて　たて
盟　よこぼうながく

オバケはこわくありません

クイズ　盟－日－月＋成＝？

皿(さら)の部・11画
上下型／ノ(ななめぼう)

くん もる　　色とりどりの果物を皿に**盛**る。
　　（さかる）　キャンプファイヤーのほのおが、明るく燃え**盛**る。
　　（さかん）　わたしたちの学校では、クラブ活動が**盛**んだ。
おん（セイ）　姉の演奏が終わると、**盛**大な拍手が巻きおこった。
　　（ジョウ）　毎日暑いので、商店街のかき氷屋さんが**繁盛**している。

いみ ❶もりあげる・やまもりにする● 盛り土・山盛り　❷さかんだ・にぎやかだ・じゅうぶんだ● 花盛り・盛夏・盛会・盛況・盛大・最盛期・全盛・繁盛・隆盛

なりたち

 → 成

おのの形と、うつわからしるがあふれる形で、できあがること。

 → 皿

皿の形で、食べ物をもるうつわのこと。

と

で

盛

食べ物を、うつわにやまもりにもることで〈もりあげる・さかんだ〉の意味をあらわす。

となえかた

盛　ノ　ーとかいて

盛　かぎまげはねて

盛　たすきにてん

盛　たて　かぎ
　　たて　たて

盛　よこながく
　　（したに皿）

オバケのケーキをさあ どうぞ

きを　つけよう　盛の「成」の「ヽ」を忘れずに書く。

亠（なべぶた）の部・3画
その他型／丶（てん）

- **くん**（ない）　古いアルバムをめくり、今は亡き祖父をおもう。
- **おん** ボウ　交通事故で死亡する人は、年ごとに少なくなっている。
　　　　マヤ文明が滅亡した理由は、わかっていない。
　　　　海外に逃亡した犯人が、国際手配された。
- （モウ）　けちな人は、よく「金の亡者」といわれる。

いみ ❶ない・なくなる ● 亡失　❷死ぬ ● 亡君・亡妻・亡父・亡母・亡友・亡霊・亡者・死亡　❸ほろびる ● 亡国・危急存亡・興亡・衰亡・滅亡　❹にげる ● 亡命・逃亡

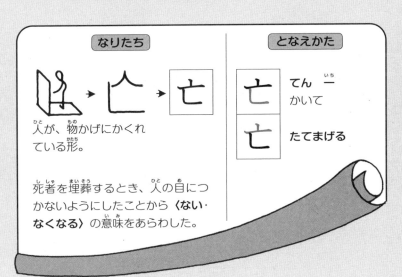

なりたち

人が、物かげにかくれている形。

死者を埋葬するとき、人の目につかないようにしたことから〈ない・なくなる〉の意味をあらわした。

となえかた

亡　てん ー
　　かいて

亡　たてまげる

おばけだけが
へいきな ページ

つかいわけ　今は亡い祖父。お金が無い。

罒（あみがしら）の部・13画
上下型／1（たてぼう）

くん ——
おん ショ　火災を発見したら、すぐに**消防署**へ通報する。
　　　　父は人命救助をして、**警察署長**から感謝状をもらった。
　　　　パスポートの申請では、小学生も自筆で**署名**する。

いみ ❶役所・役わり ●署長・警察署・消防署・税務署・部署・分署・本署　❷かきしるす ●署名・自署・連署

なりたち

魚や鳥をとるあみの形で、集めること。

かまどの火がもえているようす。

木を集めて、かまどの中におしこんでもやすときのように、人びとをたてものの中に集めて仕事をさせることから〈役所・役わり〉の意味をあらわした。

となえかた

署　たて　かぎ

署　たて　たて
　　そことじて

署　よこ　たて
　　よこて

署　ノに

署　日をつける

きを　つけよう　署の「罒」を「四」としない。

刀(かたな)の部・8画
□その他型／丶(てん)

くん ——
おん ケン　祖父から、夏休みに上映される映画の**招待券**をもらった。
自分のお年玉で、恐竜博の**入場券**を買った。
今回の旅行は、目的地までの**往復乗車券**を買うことになった。
バスの**回数券**は、十パーセントくらい割引になっている。

いみ けん・やくそくをしたしるしになるふだ ● 券売機・回数券・株券・金券・債券・証券・乗車券・招待券・商品券・食券・整理券・定期券・入場券・半券・前売り券・旅券

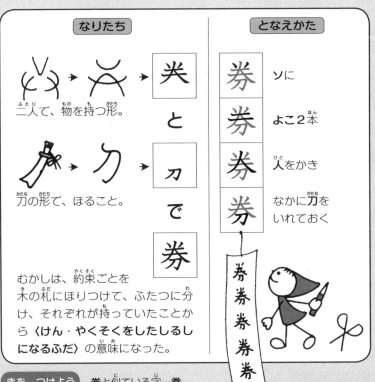

なりたち

二人で、物を持つ形。　→　关　と

刀の形で、ほること。　→　刀　で　→　券

むかしは、約束ごとを木の札にほりつけて、ふたつに分け、それぞれが持っていたことから〈けん・やくそくをしたしるしになるふだ〉の意味になった。

となえかた

券　ソに
券　よこ2本
券　人をかき
券　なかに刀をいれておく

きを つけよう　券と似ている字…巻

刀(かたな)の部・12画
左右型／ノ(ななめぼう)

くん つくる　その芸術家は、自然と調和する彫刻を創るといわれる。
おん ソウ　ファンタジー作家の創作の秘密を知りたい。
　　　　　ぼくの通う小学校は、来年に創立百周年をむかえる。

いみ ❶はじめる・はじめてつくる●創案・創意工夫・創刊号・創業・創建・創作・創始・創設・創造・創立・独創的　❷きず・きずをつける●創傷・刀創

なりたち

穀物などを入れるくらの形。

刀の形。

穀物などの材料をくらから出し、これから料理をしようと、刃物で切れめを入れることから〈はじめる・はじめてつくる〉という意味をあらわした。

となえかた

創　ひとやねに
創　てんをつけ
創　ヨノ口かいたら
創　りっとうをかく

クイズ　創□工夫　□に入るのは？　①造　②意　③業

刀(かたな)の部・12画
左右型／丶(てん)

- **くん** わる　友だちへのプレゼントの代金を、五人で**割**る。
- わり　校外学習の宿泊先での**役割**を分担する。
- われる　ガラスのコップは、落とせば**割れる**のはあたりまえだ。
- (さく)　時間を**割**いて勉強したのに、テストの点数は悪かった。
- **おん** (カツ)　母に借りたお金を**分割**で返す。

いみ ❶わる・ばらばらにする ● 割り当て・割り印・割り勘・割り算・割り付け・割り振り・割れ目・頭割り・縦割り・月割り・仲間割れ・日割り・干割れ・役割・割愛・割拠・割腹・分割　❷わりあい ● 割合・割高・割引・割増し・割安

● **送りがなに注意**…「役割」は、「役割り」とは書かない。

なりたち	となえかた
 家の中にしげる草と口の形で、悪口のこと。	割　ウかんむり
と	割　よこ たて
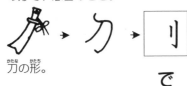 刀の形。	割　よこ よこ
で	割　口つけ
割	割　りっとう

ぼうぼうとしげる草を刀でたち切るように、悪口をいうのをやめさせることから〈わる・ばらばらにする〉の意味をあらわした。

きを つけよう　割の「口」を「日」としない。

刀(かたな)の部・15画
左右型／｜(たてぼう)

くん ——
おん ゲキ　きのこには、**劇毒**があるものもあるので、注意しよう。
市民ホールで「ヘンゼルとグレーテル」の**人形劇**をみた。

いみ ❶はげしい・きびしい● 劇痛・劇毒・劇変・劇薬　❷いそがしい・わずらわしい● 劇職・劇務　❸しばい・たわむれ● 劇画・劇作家・劇場・劇団・劇的・演劇・観劇・喜劇・時代劇・人形劇・悲劇

なりたち

とらの形といのししの形。

刀の形。

とらといのししの争いのはげしさを刀であらわし、〈はげしい〉の意味になったが、のちに、動きのはげしい〈しばい〉の意味にも、つかわれるようになった。

となえかた

たて よこ
ノをかき

よこをはね

すうじの七に
よこ一かいて

ノに
たてまげはね

ノ ノと
くをつけ

りっとうをかく

きを つけよう　劇の「七」を「ヒ」としない。

刀(かたな)の部・8画
左右型／丶(てん)

くん きざむ　包丁できゅうりを**刻む**。
　　　　　ふりこ時計が、カチカチと時を**刻む**。
おん コク　「考える人」は、フランスの**彫刻**家ロダンの作品だ。
　　　　　忘れ物を取りに帰ったので、学校に**遅刻**した。
　　　　　小学生の体力低下が、**深刻**になっているという。

いみ ❶ほりつける・きざむ●小刻み・刻印・彫刻・復刻・翻刻　❷時間・とき●刻限・一刻・時刻・寸刻・先刻・即刻・遅刻・定刻・夕刻　❸きびしく・ひどい●刻苦勉励・深刻

なりたち	となえかた
 いのししの形。 と  刀の形。 で 刻 いのししのかたいほねに、刀でほりものをして、かざりにしたことから〈ほりつける・きざむ〉の意味をあらわした。	刻　てん　一 刻　く　ノ 刻　ひと　人 刻　りっとうをかく

きを　つけよう　「刻む」は「刻ざむ」としない。

冊

冂(どうがまえ)の部・5画
その他型／丨(たてぼう)

くん ——
おん サツ　みんなの詩をまとめて、きれいな冊子を作った。
　　　　今月は図書室で、本をちょうど十冊借りた。
　（サク）七夕には、短冊に願いごとを書いて、ササにつるす。

いみ ❶書物・かきつけ用の紙 ● 冊子・小冊・大冊・短冊・分冊・別冊
　　　　❷書物をかぞえることば ● 冊数・五冊・十冊

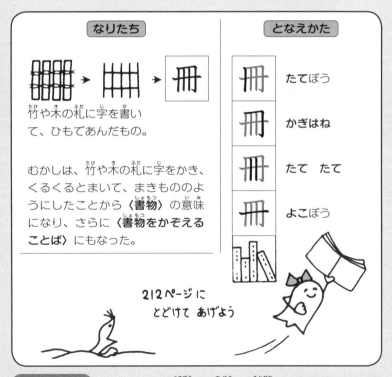

なりたち

竹や木の札に字を書いて、ひもであんだもの。

むかしは、竹や木の札に字をかき、くるくるとまいて、まきもののようにしたことから〈書物〉の意味になり、さらに〈書物をかぞえることば〉にもなった。

となえかた

冊　たてぼう
冊　かぎはね
冊　たて　たて
冊　よこぼう

212ページにとどけてあげよう

きをつけよう　冊のまんなかの横棒は、左右とも外側にとびだす。

干（いち／じゅう）の部・3画
□その他型／一（よこぼう）

くん ほす 今日は天気がいいので、ベランダに洗濯物を干す。
のどがかわいていたので、出されたコップの水を飲み干した。
（ひる） 浜辺の潮が干るのを待って、貝ひろいをする。

おん カン 父は、ぼくの勉強についてあまり干渉しない。
干潮は午後七時ごろだから、まだまだ泳げる。

いみ ❶かかわる・たちいる ● 干渉・干与 ❷ほす・かわく・しおがひく ● 干菓子・干潟・干物・干し草・梅干し・虫干し・干害・干拓・干潮・干満 ❸未定の数 若干 ❹てすり ● 欄干

なりたち

先が二またになっている、ほこの形。

このほこは、敵をついたり、ふせいだりする武器であることから〈かかわる〉の意味をあらわす。また、「カン」という音が「かわく」の意味の「乾」と同じところから、〈ほす〉の意味にもなった。

となえかた

干　よこぼう2本
干　たてながく

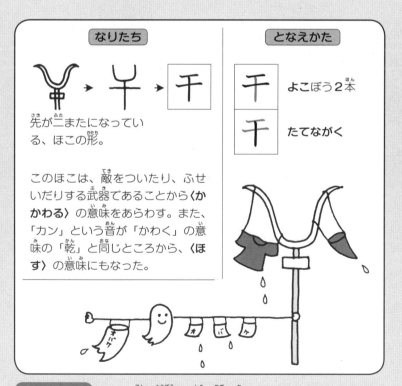

きを つけよう　干の2本の横棒は、下を長く書く。

戈(ほこがまえ)の部・7画
□その他型／ノ(ななめぼう)

くん われ 優勝がきまった瞬間、うれしさに**我**を忘れてさけんだ。
　　　(わ) **我**が家のネコは三毛だ。
　　　　　我がままをいうのはよくない。
おん (ガ) クリスマスの夜、妹はねむいのを**我慢**して起きていた。

いみ ❶**じぶん・わたし**●我が国・我が家・我田引水・我慢・自我・忘我・没我・無我夢中 ❷**じぶん中心のかんがえ・ひとりよがり**●我がまま・我意・我欲・我流

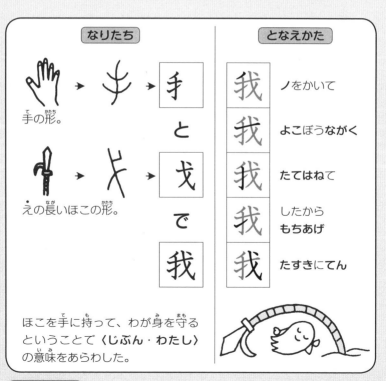

なりたち

手の形。
えの長いほこの形。

手 と 戈 で 我

ほこを手に持って、わが身を守るということで〈じぶん・わたし〉の意味をあらわした。

となえかた

我　ノをかいて
我　よこぼうながく
我　たてはねて
我　したからもちあげ
我　たすきにてん

クイズ 我□引水 □に入るのは？ ①家 ②田 ③地

白(しろ)の部・9画
上下型／ノ(ななめぼう)

くん ——

おん コウ　ナポレオンは、フランスにおける初代の**皇帝**になった。
　　　オウ　大化の改新は、**中大兄皇子**たちによっておこなわれた。
　　　　　　天皇は、日本国および日本国民の象徴とされている。

いみ 天子・君主 ● 皇子・皇女(皇女)・皇位・皇居・皇后・皇室・皇族・皇太后・皇太子・皇帝・勤皇・上皇・天皇・法皇
● 読み方に注意…「天皇」「勤皇」などのときは、「皇」は「のう」と読む。

なりたち

おのの上の部分に、光る玉のかざりをつけた形。

おのに光りかがやく玉をはめこんで、王より位が上の人のしるしとした。このおのをうけつぐ人のことから〈天子・君主〉の意味になった。

となえかた

皇	ノ　たて かぎで
皇	よこ　2本
皇	よこ　たて よこ　よこ 王をかく

きを　つけよう　皇の「白」を「自」としない。

衣(ころも)の部・12画
上下型／1(たてぼう)

くん（よそおう） 緊張しているときに平静を装うのは、むずかしい。
おん ソウ ハロウィンでは、ミイラの仮装をすることになった。
母へのプレゼントを、きれいな紙で包装する。
（ショウ） 妹が七五三で着る衣装は、わたしが選んであげた。

いみ ❶**よそおう・みじたくをする**●装束・衣装・仮装・軽装・正装・盛装・服装・変装・洋装・礼装・和装 ❷**かざる・とりつける**●装飾・装身具・装置・装着・装備・改装・外装・内装・包装 ❸**本のつくり**●装画・装丁・表装

なりたち

ベッドをたてにした形と、おのをたてにおいた形で、りっぱな男のこと。

着物のえりの形で、ころものこと。

背の高い、すらりとした男の人が着物を着て、身じたくをすることから〈よそおう・かざる〉の意味をあらわした。

となえかた

装	たてぼうかいてンをつけ
装	右に土をかき
装	てん一に
装	イのたてはねて
装	左右にはらう

きを つけよう 「装う」は「装おう」としない。

衣(ころも)の部・12画
□ 左右型／ヽ(てん)

くん おぎなう　わかりにくい部分についての説明は、あとから**補**う。
　　　　　　　　暑い日は、こまめに水分を**補**うようにしよう。
おん ホ　　　　やぶれそうなノートに、テープをはって**補**強する。

いみ たりないところをつけたす・おぎなう● 補給・補強・補欠・補佐・補修・補習・補充・補助・補償・補色・補正・補足・補聴器・補導・候補・増補・判事補

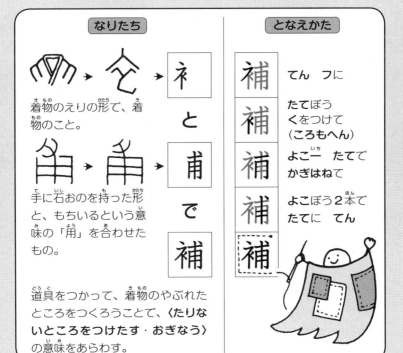

なりたち

着物のえりの形で、着物のこと。

手に石おのを持った形と、もちいるという意味の「用」を合わせたもの。

道具をつかって、着物のやぶれたところをつくろうことで、〈たりないところをつけたす・おぎなう〉の意味をあらわす。

となえかた

てん　フに

たてぼう　くをつけて
（ころもへん）

よこ一　たてで
かぎはねて

よこぼう2本で
たてに　てん

きを　つけよう　「補う」は「補なう」としない。

衣(ころも)の部・12画
その他型／一(よこぼう)

くん さばく　犯罪者は法にもとづいて**裁**かれる。
　　（たつ）　型紙に合わせて布を**裁**って、洋服をぬってみる。
おん サイ　母は週二回、家で洋**裁**を教えている。
　　　　　　最高**裁**で判決が出て、原告が勝訴する。

いみ ❶ぬのをたちきる・きる●本裁ち・裁断・裁縫　❷**裁縫のこと**●洋裁・和裁　❸**ものごとをとりさばく**●裁可・裁決・裁定・裁判・裁量・決裁・制裁・総裁・独裁　❹**裁判所のこと**●家裁・高裁・最高裁・地裁

なりたち

芽が出た形と、ほこの形。

着物のえりの形で、布地のこと。

芽がのびるのをたち切るように、布を刃物で切ることから〈たちきる・きる〉の意味になった。

となえかた

土のしたながく
てん 一かいて
イをはね
くをかき
たすきにてん

きを　つけよう　「**裁**く」は「裁ばく」としない。

衣(ころも)の部・13画
上下型／丶(てん)

くん うら
- 使い終わったカレンダーの**裏**に、絵をかく。
- 児童館の**裏手**に、古くからやっている文具店がある。
- **裏表**のない性格の母は、みんなに好かれている。

おん (リ)
- 映画のロボットと少年が別れる場面が、**脳裏**にやきつく。
- ひな人形の**お内裏様**が左右どちらかは、地域によってちがう。

いみ うら・なか・……のうちに ● 裏打ち・裏表・裏書き・裏方・裏口・裏地・裏付け・裏手・裏通り・裏話・裏町・裏門・裏面・禁裏・内裏・脳裏・秘密裏・表裏

なりたち

すじめのもようのついた布地。

すじめのもようのついた「かすり」などの布地を、着物のうら地としてもつかったところから〈うら・なか〉の意味をあらわした。

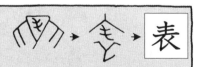

毛皮の上に着た布の着物のことから〈おもて〉の意味を表した。

となえかた

裏	てん 一
裏	日をかき
裏	たて よこ2本
裏	かなのイ はねたら
裏	左右にはらう

さんこう 裏の反対の意味の字…表

玉(たま)の部・10画
左右型／一(よこぼう)

くん ―
おん ハン

林間学校では、クラスは七つの**班**に分けられた。
ぼくは**班長**になったので、あいさつや会議などの仕事もある。
ぼくたちの**班員**は六名で、それぞれべつの仕事をする。
見学先の牧場では、**班別**に行動する。

いみ ❶はん・グループ ●班長・救護班・首班・第一班 ❷わける・わけてあたえる ●班田

なりたち

玉かざりを二つならべた形。

→ 珏 と

刀の形で、切って分けること。

→ リ で

班

玉かざりを刀で切って分けることで、全体をいくつかに分けた、それぞれの組のことから〈はん・グループ〉の意味をあらわした。

となえかた

班 よこ たて

班 よこで もちあげて

班 かなの リをかき

班 王をかく

202　きを つけよう　班と似ている字…斑

乙(おつ)の部・7画
左右型／ノ(ななめぼう)

- **くん** みだれる　風の強い日は、かみの毛が**乱れる**のがこまる。
- **みだす**　ならんでいるのに、割りこんで列を**乱す**人がいる。
- **おん** ラン　　弟の部屋は、いつも**乱雑**に散らかっている。

いみ ❶みだれる・みだす ● 乱雑・乱視・乱心・乱世・乱戦・乱丁・乱調・乱闘・乱入・乱筆・乱舞・乱暴・乱脈・乱立・狂乱・混乱・錯乱・酒乱・戦乱・騒乱・動乱　❷むやみやたらに ● 乱獲・乱掘・乱作・乱射・乱売

なりたち

糸まきを両手で引っぱる形と、糸を線のようにたらした形。

もとは、糸のみだれをととのえる意味だったが、のちに〈みだれる・みだす〉というぎゃくの意味につかわれるようになった。

となえかた

乱	ノ
乱	よこ
乱	たてで
乱	口をかき
乱	右におおきくたてまげはねる

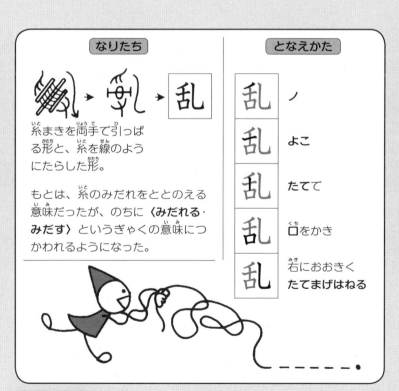

クイズ　一□不乱　□に入るのは？　①心　②信　③真

巾(はば)の部・13画
上下型／一(よこぼう)

くん ——
おん マク　花見会場には、紅白の**幕**がはられている。
　　　　兄が出場する全国中学校サッカー大会が、いよいよ開**幕**した。
　　　バク　ペリーのひきいる黒船が来たあとの時代を**幕**末とよぶ。

いみ ❶まく・たれまく●幕内・幕切れ・暗幕・煙幕・開幕・黒幕・字幕・終幕・除幕式・垂れ幕・天幕・閉幕　❷幕府のこと●幕臣・幕政・幕府・幕末・佐幕・倒幕

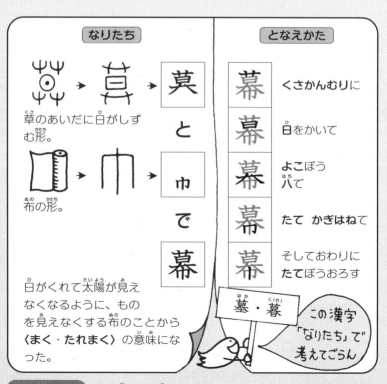

きを　つけよう　幕と似ている字…墓・暮

幺(いとがしら)の部・5画
左右型／ノ(ななめぼう)

くん おさない　末の妹はまだ**幼い**ので、遊園地の乗り物には乗れない。
女子に考え方が**幼い**といわれたのが、ショックだ。

おん ヨウ　**幼稚園**のときの友だちに、ばったり会った。
幼児の手をひいて、自転車に注意しながら歩道を歩く。
トンボのなかまの**幼虫**は、ヤゴとよばれる。

いみ 年がすくない・じゅうぶんてはない・おさない ● 幼子・幼心・幼友達・幼なじみ・幼魚・幼児・幼時・幼女・幼少・幼稚・幼稚園・幼虫・幼年・幼名

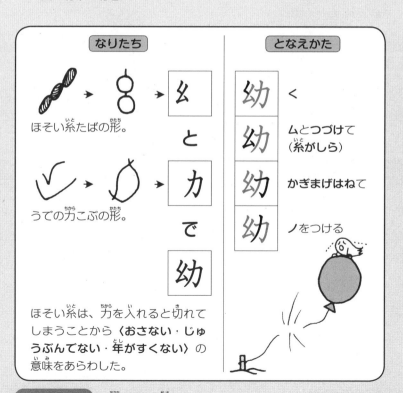

きを つけよう　「**幼い**」は「幼ない」としない。

糸(いと)の部・9画
左右型／ノ(ななめぼう)

くん べに
（くれない）

姉ははじめて、**口紅**と**頬紅**をつけたそうだ。
西の空が、夕日で**紅**にそまる。
ピアノの上には、**紅色**のドレスを着た人形がおいてある。

おん コウ
（ク）

日本の木木の**紅葉**は、美しいことで世界的に知られる。
母は誕生日に、父から**真紅**のバラの花束をもらった。

いみ ❶こい赤色● 紅筆・薄紅(薄紅)・口紅・頬紅・紅顔・紅玉・紅茶・紅潮・紅梅・紅白・紅葉(紅葉)・真紅(深紅)　❷おんなの人● 紅一点・紅涙

●**特別な読み**…(紅葉)

なりたち

糸をたばねた形。

「工」は、赤い色をあらわす「コウ」とおなじ音で、赤く染めること。

→ 糸 と 工 で 紅

赤く染めた糸のことから〈こい赤色〉のことをあらわす。

となえかた

紅　くムとつづけて

紅　たて チョン チョン（糸へんで）

紅　よこ たて よこで工をかく

色を表す字には、「糸」のついたものがあるよ。それはね。蚕のまゆからとった白い糸に、木の実や草のしるをつけて染めたから。

紅・紺・緑・紫

クイズ　紅 − 工 − 小 + 力 = ?

糸(いと)の部・10画
左右型／ノ(ななめぼう)

くん おさめる　ピアノ教室に月謝を**納める**のは、月の最後の金曜日だ。
　　　おさまる　まんがの本が、本棚の二段目にぴったり**納まる**。
おん ノウ　　　サマーキャンプの参加費は、七月中に**納入**する。
　（ナッ）　　試合を見れば、ぼくのプレーに**納得**すると思う。
　（ナ）　　　祖父母の家には**納屋**があって、農機具がしまってある。
　（ナン）　　工具を**納戸**から出して、妹の自転車の補助輪をはずす。
　（トウ）　　おじは、市役所の会計課の**出納係**を務めている。

いみ ❶**おさめる・いれる** ●納得・納屋・納戸・納棺・納期・納金・納税・納入・納品・納付・納涼・格納・収納・受納・出納・滞納・返納・奉納・未納　❷**おわりにする** ●納会

なりたち

糸をたばねた形。

家の入り口の形で、入ること。

と

で

納

きれいな色に染めて、かわかした糸を、家の中にしまっておくことから〈おさめる・いれる〉の意味をあらわした。

となえかた

納　糸へんに
納　たて
納　かぎはねて
納　人をかく

132ページノモノヲ
コノ中ニイレテネ

つかいわけ　授業料を**納**める。国を**治**める。武道を**修**める。成功を**収**める。

糸(いと)の部・13画
左右型／ノ(ななめぼう)

- **くん** きぬ
- **おん** (ケン)

絹織物は、美しい光沢と、はだざわりのよさが特徴だ。
祖母の古い着物をほどいた絹布で、おびをつくる。
化学繊維のレーヨンは、むかしは人絹とよばれた。

いみ きぬ・カイコのまゆからとった糸や、その糸でおった布 ● 絹糸(絹糸)・絹織物・絹針・絹張り・絹物・絹綿・絹布・絹本・純絹・人絹・本絹

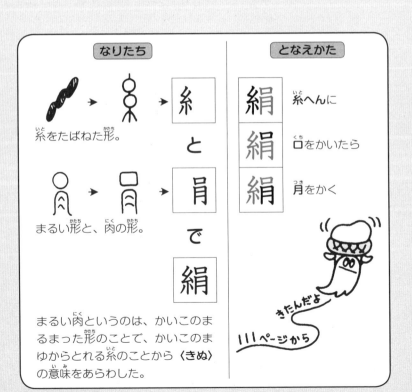

208　クイズ　絹－口－糸＋田＝？

糸(いと)の部・10画
左右型／ノ(ななめぼう)

くん ——
おん ジュン

おばは、**純白**のドレスに身を包んで、結婚式をあげた。
子どもが動物を好きなのは、**純真**な心をもっているからだ。
単純な作業のようだが、やってみるとむずかしい。

いみ **まじりけがない　うそやかざりがない** ● 純愛・純益・純金・純銀・純血・純潔・純絹・純情・純真・純粋・純正・純然・純度・純白・純綿・純毛・純良・清純・単純・不純

なりたち

糸をたばねた形。

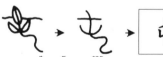

たねが芽を出した形で、たねをまいたことがたしかで、うそがないこと。

糸

と

屯

で

純

糸が、たしかにかいこのまゆからとった絹糸で、美しい糸だということから〈まじりけがない〉の意味をあらわした。

となえかた

純	糸へんに
純	ノに
純	うけばこで
純	たてまげはねる

クイズ　単純明□　□に入るのは？　①快　②解　③改

糸(いと)の部・17画
左右型／ノ(ななめぼう)

くん ちぢむ　新しいジーパンは、洗うと少し縮む。
　　　ちぢまる　おばけやしきでは、こわくて寿命が縮まる思いをした。
　　　ちぢめる　百メートル走のタイムを縮めるために、腹筋をはじめた。
　　　ちぢれる　雨でぬれたノートが、かわいて縮れる。
　　　ちぢらす　母がパーマをかけて、かみの毛を縮らした。
おん シュク　千分の一の縮尺の、平城京の模型を見た。

いみ ちぢめる・みじかくする・ちいさくする ● 伸び縮み・縮減・縮刷・縮尺・縮小・縮図・圧縮・恐縮・軍縮・収縮・伸縮・短縮・濃縮

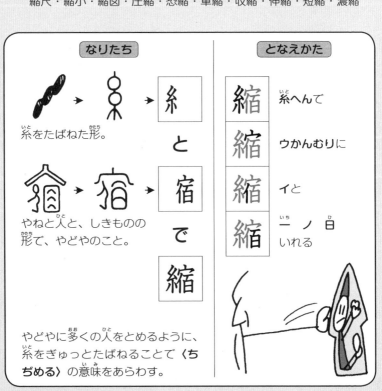

きを つけよう　縮の「白」を「自」としない。

糸(いと)の部・16画
左右型／ノ(ななめぼう)

- **くん** たて　文章を縦書きにする言語は、世界では少数派だ。
妹のたのみなら、首を縦にふるしかない。
- **おん** ジュウ　かつては、路面電車が市内を縦横に走っていた。
父はむかし、自転車で日本列島を縦断したらしい。
宇宙船を操縦して、火星にいく夢を見た。

いみ ❶たて● 縦糸・縦書き・縦笛・縦横・縦横無尽・縦貫・縦走・縦隊・縦断・縦列　❷自由にする・思いどおりにする● 縦覧・操縦・放縦

なりたち

糸をたばねた形で、たて糸のこと。

十字路の左半分と足の形で歩くことと、ならんだ人の形。

→ 従 で 縦

何人もの人がならんで歩いていくように、何本ものたて糸をはたおり機にかけることから〈たて〉の意味をあらわした。

となえかた

縦　糸へんに
縦　ノ イと つづけて
縦　ソ 一を かいて
縦　たて よこ つけて
縦　人をかく

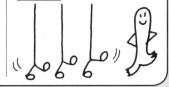

さんこう　縦の反対の意味の字…横

糸(いと)の部・7画
□その他型／ノ(ななめぼう)

くん ——
おん ケイ　人になにかを説明するときは、**系統**立てて話をするべきだ。
わが家に伝わる古い**系図**を、祖父が見せてくれた。
太陽系の八つの惑星は、太陽を中心に回っている。
わたしの**母系**の親せきには、学校の先生が多い。

いみ つながる・つながり・一つのつながりをもったなかま● 系図・系統・系譜・系列・家系・大系・体系・太陽系・直系・南方系・父系・傍系・母系・北方系

なりたち

つめの形と、糸たばの形。

つなげた糸たばを手でぶらさげている形で、糸をつなぐことから〈つながる〉の意味をあらわした。

となえかた

系	ノをかいて
系	く　ムと　つづけて
系	たて
系	チョン　チョン

きを　つけよう　系と似ている字…糸

ほらあなの
外(そと)にでた。

「明(あか)るいな。」

そのもの ずばりの字
目でみた形を、そのまま うつして、字にしたもの。

しるしをつけて ことばを表す字
絵に点や線を加えて、意味を表している。

木の形からできている。

木の根もとにしるしをつけて、ふとい根もとを表した。

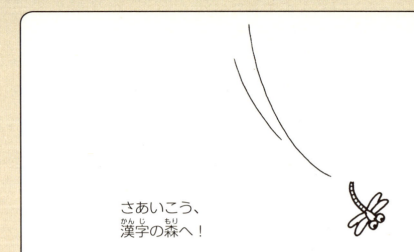

さあいこう、
漢字(かんじ)の森(もり)へ！

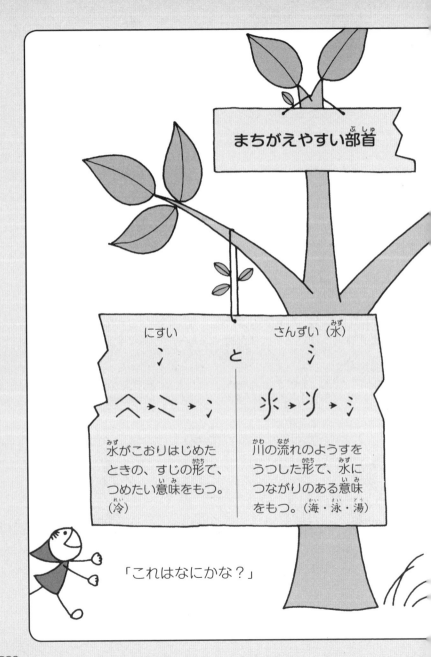

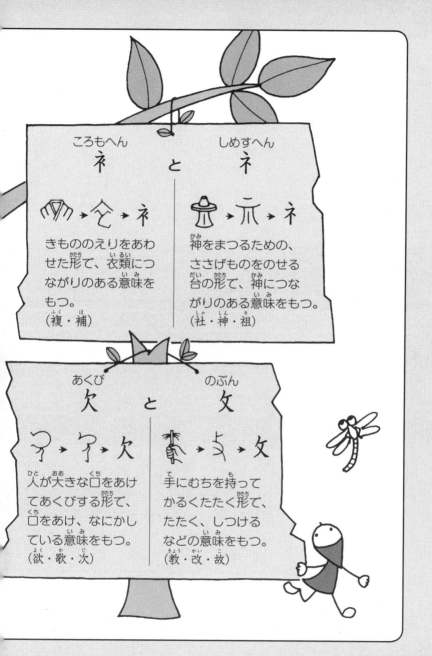

ころもへん ネ と しめすへん ネ

ネ (ころもへん): きもののえりをあわせた形で、衣類につながりのある意味をもつ。
（複・補）

ネ (しめすへん): 神をまつるための、ささげものをのせる台の形で、神につながりのある意味をもつ。
（社・神・祖）

あくび 欠 と のぶん 攵

欠 (あくび): 人が大きな口をあけてあくびする形で、口をあけ、なにかしている意味をもつ。
（欲・歌・次）

攵 (のぶん): 手にむちを持ってかるくたたく形で、たたく、しつけるなどの意味をもつ。
（教・改・故）

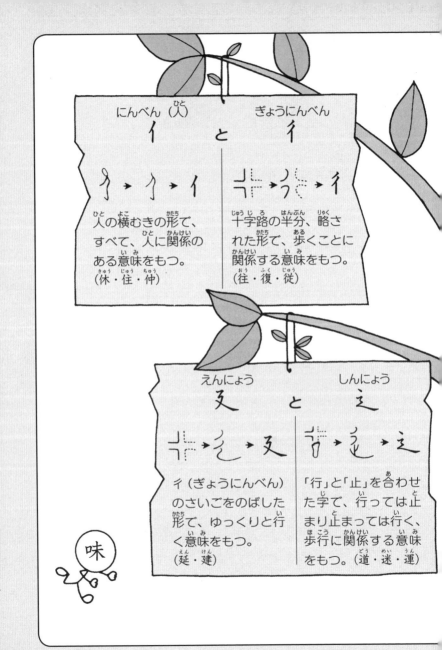

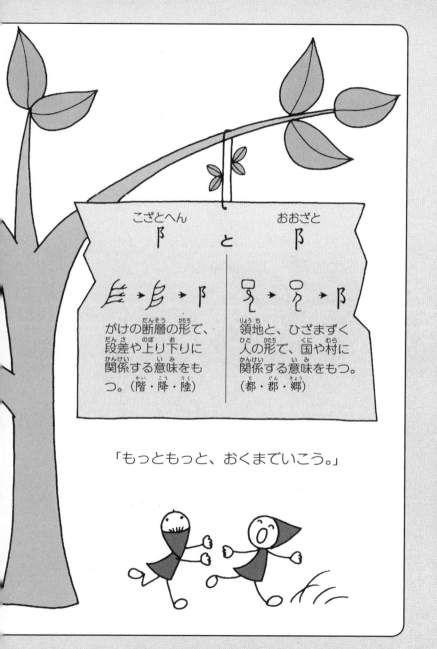

●かくれんぼ……
　口　日　田
　甲　表　一
●漢字(かんじ)なぞなぞ…

●くみたて………
　①皇　②否

クイズのこたえ

クイズ（121ページ）

土 工 中 王 里 衣
二 三 十 など

（136・137ページ）

① 切り株（株が上下に切れているから）
② 小包（包みが小さいので）
③ 仲間割れ（仲が、われているから）
④ 週刊誌（誌がわれて、週が間にはいっているので）
⑤ さからう（従うが、さかさまになっているから）
⑥ 上げ底（底が上のほうにあがっているので）

クイズ（172・173ページ）

③裁 ④閉 ⑤痛 ⑥聖 ⑦窓 ⑧班 ⑨納

「あってるかな？」

となえかたの やくそく

一	よこぼう (よこいち)	一
丿	よこはね (よこぼうはねる)	丿
、	てん (チョン)	丿・勹
𠃍	てんいち	𠃍
⌐	ソいち	⌐
𠂉	ノいち	ノ
勹	ノフ（とつづける）	勹
ヨ	ヨのなかながく	𠃍

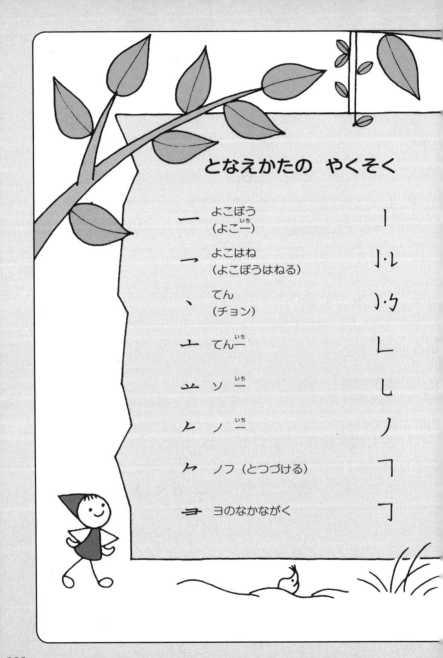

たてぼう（たて）	フ	かぎまげ（うち）はね
たてはね（たてぼうはねる）	乙 乁	かぎまげ（そと）はね
たて（ぼう）まげはね	ろ 3	フにつづける／フをつづける
たてまげ	ノ	もちあげる
たてまげはねる	ノ	左ばらい
たてたノ（ノをたてる）	\	右ばらい
かぎ	メく	左右にはらう
かぎはね	メ	りょうばらい

「さあ、森の広場はもうすぐだ。」

漢字の森は、たのしいよ!

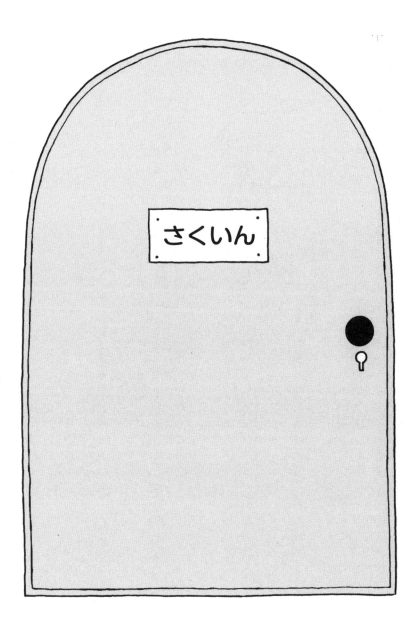

おん/くん さくいん

❶ 読みのわかっている漢字をしらべるときにつかいます。
❷ カタカナは音読み、ひらがなは訓読み、細字は送りがなです。( )は、小学校で習わない読みです。
❸ 五十音順で、音読み、訓読みの順にならべてあります。同じ読みの場合は、画数の少ない順です。
❹ 数字は、その漢字がのっているページです。

あ

あずかる	預	34
あずける	預	34
(あたい)	値	18
あたたか	暖	156
あたたかい	暖	156
あたたまる	暖	156
あたためる	暖	156
あな	穴	179
あぶない	危	28
(あやうい)	危	28
(あやつる)	操	66
(あやぶむ)	危	28
あやまる	誤	52
あらう	洗	162
(あらわす)	著	126

い

イ	胃	100
イ	異	61
イ	遺	88
イキ	域	181
いずみ	泉	164
いたい	痛	31
いただき	頂	33
いただく	頂	33
いたむ	痛	31
(いたむ)	傷	20
いためる	痛	31
(いためる)	傷	20
いたる	至	107
(いちじるしい)	著	126
(いな)	否	42
いる	射	78

う

ウ	宇	143
(うけたまわる)	承	62
うたがう	疑	32
(うつ)	討	48
うつす	映	155
うつる	映	155
うやまう	敬	82
うら	裏	201
(うれる)	熟	183

え

エイ	映	155
エン	延	87
エン	沿	161

お

オウ	皇	197
おがむ	拝	73
おぎなう	補	199
(おごそか)	厳	152
おさない	幼	205
おさまる	収	79
おさまる	納	207
おさめる	収	79
おさめる	納	207
(おす)	推	67
(おとずれる)	訪	49
(おのれ)	己	26
おりる	降	166
おろす	降	166
オン	恩	91

か

(ガ)	我	196
(カイ)	灰	182
かいこ	蚕	111
カク	拡	70
カク	革	106
カク	閣	141
かた	片	124
(かたい)	難	110
(かたき)	敵	83
(カツ)	割	191
(かつぐ)	担	71
(かなでる)	奏	63
かぶ	株	117
(かわ)	革	106
カン	干	195
カン	巻	65
カン	看	35
カン	簡	130

き

キ	危	28
キ	揮	72
キ	貴	113
(キ)	己	26
(キ)	机	116
ギ	疑	32
きざむ	刻	193
きず	傷	20
きぬ	絹	208
きびしい	厳	152
キュウ	吸	41
キョウ	供	16
キョウ	胸	97
キョウ	郷	171
キン	勤	105
キン	筋	131

く

(ク)	供	16
(ク)	紅	206
(くら)	蔵	128
くらす	暮	154
(くれない)	紅	206
くれる	暮	154

け

ケイ	系	212
ケイ	敬	82
ケイ	警	59
ゲキ	劇	192
ゲキ	激	158

(ケツ)	穴………179		(さかる)	盛………186
ケン	券………189		(さかん)	盛………186
ケン	権………115		サク	策………129
ケン	憲……… 93		(サク)	冊………194
(ケン)	絹………208		(さく)	割………191
ゲン	源………165		(さぐる)	探……… 74
ゲン	厳………152		サツ	冊………194
			さばく	裁………200
			(さわる)	障………168
			サン	蚕………111

こ

コ	己……… 26
コ	呼……… 40
ゴ	誤……… 52
コウ	后……… 44
コウ	孝……… 24
コウ	皇………197
コウ	紅………206
コウ	降………166
コウ	鋼………178
(ゴウ)	郷………171
コク	刻………193
コク	穀………132
コツ	骨………104
こと	異……… 61
こまる	困………151
コン	困………151
(ゴン)	勤………105
(ゴン)	権………115
(ゴン)	厳………152

し

シ	至………107
シ	私………134
シ	姿……… 22
シ	視……… 36
シ	詞……… 50
シ	誌……… 55
ジ	磁………175
(ジ)	除………169
しお	潮………163
した	舌……… 43
したがう	従……… 86
したがえる	従……… 86
しまる	閉………140
(しみ)	染………123
(しみる)	染………123
しめる	閉………140
シャ	射……… 78
シャ	捨……… 69
(シャ)	砂………174
シャク	尺……… 75
(ジャク)	若………125
(シュ)	衆……… 37
ジュ	樹………120
(ジュ)	従……… 86

さ

サ	砂………174
ザ	座………150
サイ	済………160
サイ	裁………200
さがす	探……… 74

（ジュ）	就	64
シュウ	収	79
シュウ	宗	142
シュウ	就	64
シュウ	衆	37
ジュウ	従	86
ジュウ	縦	211
シュク	縮	210
ジュク	熟	183
ジュン	純	209
ショ	処	184
ショ	署	188
ショ	諸	53
ジョ	除	169
ショウ	承	62
ショウ	将	80
ショウ	傷	20
ショウ	障	168
（ショウ）	従	86
（ショウ）	装	198
ジョウ	蒸	127
（ジョウ）	盛	186
しりぞく	退	89
しりぞける	退	89
シン	針	176
ジン	仁	15

す

スイ	垂	138
スイ	推	67
すう	吸	41
すがた	姿	22
（すぐれる）	優	21
すじ	筋	131
すてる	捨	69
すな	砂	174

すます	済	160
すむ	済	160
（すわる）	座	150
スン	寸	76

せ

せ	背	103
セイ	聖	46
セイ	誠	51
（セイ）	盛	186
せい	背	103
（ゼツ）	舌	43
（ぜに）	銭	177
セン	宣	147
セン	専	77
セン	洗	162
セン	泉	164
セン	銭	177
（セン）	染	123
ゼン	善	45

そ

ソウ	奏	63
ソウ	窓	180
ソウ	創	190
ソウ	装	198
ソウ	層	139
ソウ	操	66
（ソウ）	宗	142
そう	沿	161
ゾウ	蔵	128

ゾウ	臓	102
そなえる	供	16
そまる	染	123
(そむく)	背	103
(そむける)	背	103
そめる	染	123
ソン	存	23
ソン	尊	60
ゾン	存	23

た

タイ	退	89
たから	宝	145
タク	宅	146
たずねる	訪	49
(たつ)	裁	200
たっとい	尊	60
(たっとい)	貴	113
たっとぶ	尊	60
(たっとぶ)	貴	113
たて	縦	211
たまご	卵	114
たらす	垂	138
たれる	垂	138
たわら	俵	19
タン	担	71
タン	探	74
タン	誕	58
ダン	段	81
ダン	暖	156

ち

チ	値	18
(ち)	乳	27
ちち	乳	27

ちぢまる	縮	210
ちぢむ	縮	210
ちぢめる	縮	210
ちぢらす	縮	210
ちぢれる	縮	210
チュウ	宙	144
チュウ	忠	90
チョ	著	126
チョウ	庁	149
チョウ	頂	33
チョウ	腸	101
チョウ	潮	163
チン	賃	112

つ

ツウ	痛	31
(つく)	就	64
つくえ	机	116
つくる	創	190
(つける)	就	64
つとまる	勤	105
つとめる	勤	105

て

テキ	敵	83
テン	展	30

と

トウ	党	84
トウ	討	48
トウ	糖	133
(トウ)	納	207
とうとい	尊	60
(とうとい)	貴	113

とうとぶ	尊……… 60
(とうとぶ)	貴………113
(とざす)	閉………140
とじる	閉………140
とどく	届……… 29
とどける	届……… 29
とも	供……… 16

な

(ナ)	納………207
(ない)	亡………187
(ナッ)	納………207
なみ	並……… 14
ならびに	並……… 14
ならぶ	並……… 14
ならべる	並……… 14
ナン	難………110
(ナン)	納………207

に

(ニ)	仁……… 15
(になう)	担……… 71
(ニャク)	若………125
ニュウ	乳……… 27
(ニン)	認……… 54

ね

| ね | 値……… 18 |

の

ノウ	納………207
ノウ	脳……… 96
のぞく	除………169
(のぞむ)	臨……… 39
のばす	延……… 87
のびる	延……… 87
のべる	延……… 87

は

ハ	派………159
ハイ	拝……… 73
ハイ	肺……… 98
ハイ	背………103
ハイ	俳……… 17
はい	灰………182
(はえる)	映………155
(はがね)	鋼………178
バク	幕………204
はげしい	激………158
はら	腹……… 99
はり	針………176
ハン	班………202
バン	晩………153

ひ

ヒ	否……… 42
ヒ	批……… 68
ヒ	秘………135
(ひめる)	秘………135
ヒョウ	俵……… 19
(ひる)	干………195

ふ

フク	腹………99
ふる	降………166
ふるう	奮………109
フン	奮………109

へ

ヘイ	陛………167
ヘイ	閉………140
(ヘイ)	並………14
べに	紅………206
(ヘン)	片………124

ほ

ホ	補………199
ボ	模………119
(ボ)	暮………154
ホウ	宝………145
ホウ	訪………49
ボウ	亡………187
ボウ	棒………122
(ボウ)	忘………92
(ほがらか)	朗………157
(ほしい)	欲………25
ほす	干………195
(ほっする)	欲………25
ほね	骨………104

ま

マイ	枚………118
まき	巻………65
マク	幕………204
まく	巻………65
(まこと)	誠………51
まど	窓………180

み

(みさお)	操………66
みだす	乱………203
みだれる	乱………203
ミツ	密………148
みとめる	認………54
みなもと	源………165

む

(むす)	蒸………127
むずかしい	難………110
(むな)	胸………97
むね	胸………97
(むらす)	蒸………127
(むれる)	蒸………127

め

メイ	盟………185

も

モ	模………119
(モウ)	亡………187
(もしくは)	若………125
(もっぱら)	専………77
もる	盛………186

	や	
ヤク	訳	57
(やさしい)	優	21

	ゆ	
(ユイ)	遺	88
ユウ	郵	170
ユウ	優	21

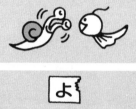

	よ	
ヨ	預	34
よい	善	45
ヨウ	幼	205
ヨク	欲	25
ヨク	翌	108
(よそおう)	装	198
よぶ	呼	40

	ら	
ラン	乱	203
ラン	覧	38
(ラン)	卵	114

	り	
(リ)	裏	201
(リチ)	律	85
リツ	律	85
リン	臨	39

	ろ	
ロウ	朗	157
ロン	論	56

	わ	
(わ)	我	196
わかい	若	125
わけ	訳	57
わすれる	忘	92
わたくし	私	134
わたし	私	134
わり	割	191
わる	割	191
われ	我	196
われる	割	191

画さくいん

❶ 漢字の読みがわからないときに、漢字の画数をかぞえて文字をさがします。
❷ 画数の少ない順にならべてあります。画数が同じものは、音読みの五十音順です。
❸ 数字は、その漢字がのっているページです。

3画

- 干 ····· 195
- 己 ····· 26
- 寸 ····· 76
- 亡 ····· 187

4画

- 尺 ····· 75
- 収 ····· 79
- 仁 ····· 15
- 片 ····· 124

5画

- 穴 ····· 179
- 冊 ····· 194
- 処 ····· 184
- 庁 ····· 149
- 幼 ····· 205

6画

- 宇 ····· 143
- 灰 ····· 182
- 危 ····· 28
- 机 ····· 116
- 吸 ····· 41
- 后 ····· 44
- 至 ····· 107
- 舌 ····· 43
- 存 ····· 23
- 宅 ····· 146

7画

- 我 ····· 196
- 系 ····· 212
- 孝 ····· 24
- 困 ····· 151
- 私 ····· 134
- 否 ····· 42
- 批 ····· 68
- 忘 ····· 92
- 乱 ····· 203
- 卵 ····· 114

8画

- 延 ····· 87
- 沿 ····· 161
- 拡 ····· 70
- 供 ····· 16
- 券 ····· 189
- 呼 ····· 40
- 刻 ····· 193
- 若 ····· 125
- 宗 ····· 142
- 承 ····· 62
- 垂 ····· 138
- 担 ····· 71
- 宙 ····· 144
- 忠 ····· 90
- 届 ····· 29
- 乳 ····· 27
- 拝 ····· 73
- 並 ····· 14
- 宝 ····· 145
- 枚 ····· 118

246

9画

胃	100
映	155
革	106
巻	65
看	35
皇	197
紅	206
砂	174
姿	22
宣	147
専	77
染	123
泉	164
洗	162
奏	63
退	89
段	81
派	159
背	103
肺	98
律	85

10画

恩	91
株	117
胸	97
降	166
骨	104
座	150
蚕	111
射	78
従	86
純	209
除	169
将	80
針	176
値	18
展	30
党	84
討	48
納	207
俳	17
班	202
秘	135
俵	19
陛	167
朗	157

11画

異	61
域	181
郷	171
済	160
視	36
捨	69
推	67
盛	186
窓	180
探	74
著	126
頂	33
脳	96
閉	140
訪	49
密	148
訳	57
郵	170
欲	25
翌	108

12画

割	191
揮	72
貴	113
勤	105
筋	131
敬	82
裁	200
策	129
詞	50
就	64
衆	37
善	45
創	190
装	198
尊	60
痛	31
晩	153
補	199
棒	122

13画

- 絹 ……… 208
- 源 ……… 165
- 署 ……… 188
- 傷 ……… 20
- 蒸 ……… 127
- 聖 ……… 46
- 誠 ……… 51
- 暖 ……… 156
- 腸 ……… 101
- 賃 ……… 112
- 腹 ……… 99
- 幕 ……… 204
- 盟 ……… 185
- 預 ……… 34
- 裏 ……… 201

14画

- 閣 ……… 141
- 疑 ……… 32
- 誤 ……… 52
- 穀 ……… 132
- 誌 ……… 55
- 磁 ……… 175
- 障 ……… 168
- 銭 ……… 177
- 層 ……… 139
- 認 ……… 54
- 暮 ……… 154
- 模 ……… 119

15画

- 遺 ……… 88
- 劇 ……… 192
- 権 ……… 115
- 熟 ……… 183
- 諸 ……… 53
- 蔵 ……… 128
- 誕 ……… 58
- 潮 ……… 163
- 敵 ……… 83
- 論 ……… 56

16画

- 激 ……… 158
- 憲 ……… 93
- 鋼 ……… 178
- 樹 ……… 120
- 縦 ……… 211
- 操 ……… 66
- 糖 ……… 133
- 奮 ……… 109

17画

- 厳 ……… 152
- 縮 ……… 210
- 優 ……… 21
- 覧 ……… 38

18画

- 簡 ……… 130
- 難 ……… 110
- 臨 ……… 39

19画

- 警 ……… 59
- 臓 ……… 102

部首さくいん

❶ ここでは、6年生でならう漢字を部首ごとにまとめました。
❷ 部首は、画数順にならべてあります。
❸ 同じ部首のなかでは、漢字の画数の少ない順にならべてあります。画数が同じものは、音読みの五十音順です。
❹ 数字は、その漢字がのっているページです。
＊部首のよび名や分け方は、辞典によってことなることがあります。

一(いち)の部
並 ………… 14

乙(おつ)の部
乱 ………… 203
乳 ………… 27

亠(なべぶた)の部
亡 ………… 187

儿(ひとあし)の部
党 ………… 84

冂(どうがまえ)の部
冊 ………… 194

人(ひと)の部
イ(にんべん)

仁 ………… 15
供 ………… 16
値 ………… 18
俳 ………… 17
俵 ………… 19
傷 ………… 20
優 ………… 21

几(つくえ)の部
処 ………… 184

刀(かたな)の部
刂(りっとう)

券 ………… 189
刻 ………… 193
割 ………… 191
創 ………… 190
劇 ………… 192

力(ちから)の部
勤 ………… 105

卩(ふしづくり)の部
危 ………… 28
卵 ………… 114

又(また)の部
収 ………… 79

口(くち)の部
口(くちへん)

吸 ………… 41
后 ………… 44
否 ………… 42
呼 ………… 40
善 ………… 45

囗(くにがまえ)の部
困 ………… 151

土(つち)の部
土(つちへん)

垂 ………… 138
域 ………… 181

249

大(だい)の部
奏 ······· 63
奮 ······· 109

女(おんな)の部
姿 ······· 22

子(こ)の部
存 ······· 23
孝 ······· 24

宀(うかんむり)の部
宇 ······· 143
宅 ······· 146
宗 ······· 142
宙 ······· 144
宝 ······· 145
宣 ······· 147
密 ······· 148

寸(すん)の部
寸 ······· 76
専 ······· 77
射 ······· 78
将 ······· 80
尊 ······· 60

尢(だいのまげあし)の部
就 ······· 64

尸(しかばね)の部
尺 ······· 75
届 ······· 29
展 ······· 30
層 ······· 139

己(おのれ)の部
己 ······· 26
巻 ······· 65

巾(はば)の部
幕 ······· 204

干(いちじゅう)の部
干 ······· 195

幺(いとがしら)の部
幼 ······· 205

广(まだれ)の部
庁 ······· 149
座 ······· 150

廴(えんにょう)の部
延 ······· 87

彳(ぎょうにんべん)の部
律 ······· 85
従 ······· 86

灬(つ)の部
厳 ······· 152

艹(くさかんむり)の部
若 ······· 125
著 ······· 126
蒸 ······· 127
蔵 ······· 128

辶(しんにょう)の部
退 ······· 89
遺 ······· 88

阝(こざとへん)の部
降 ······· 166
除 ······· 169
陛 ······· 167
障 ······· 168

阝(おおざと)の部
郷 ······· 171
郵 ······· 170

心(こころ)の部
忘 ······· 92
忠 ······· 90
恩 ······· 91
憲 ······· 93

戈(ほこがまえ)の部
我 ······· 196

攵(のぶん)の部
敬 ······· 82
敵 ······· 83

手(て)の部
扌(てへん)
批 ······· 68
拡 ······· 70
承 ······· 62
担 ······· 71
拝 ······· 73
捨 ······· 69
推 ······· 67
探 ······· 74
揮 ······· 72
操 ······· 66

日(ひ)の部
日(ひへん)

映	155
晩	153
暖	156
暮	154

月(つき)の部

| 朗 | 157 |

木(き)の部
木(きへん)

机	116
枚	118
染	123
株	117
棒	122
模	119
権	115
樹	120

欠(あくび)の部

| 欲 | 25 |

殳(るまた)の部

| 段 | 81 |

火(ひ)の部
灬(れんが)

| 灰 | 182 |
| 熟 | 183 |

水(みず)の部
氵(さんずい)

沿	161
泉	164
洗	162
派	159
済	160
源	165
潮	163
激	150

片(かた)の部

| 片 | 124 |

玉(たま)の部
王(おうへん)

| 班 | 202 |

田(た)の部

| 異 | 61 |

疋(ひき)の部

| 疑 | 32 |

疒(やまいだれ)の部

| 痛 | 31 |

白(しろ)の部

| 皇 | 197 |

皿(さら)の部

| 盛 | 186 |
| 盟 | 185 |

目(め)の部

| 看 | 35 |

石(いし)の部
石(いしへん)

| 砂 | 174 |
| 磁 | 175 |

禾(のぎへん)の部

私	134
秘	135
穀	132

穴(あな)の部
穴(あなかんむり)

| 穴 | 179 |
| 窓 | 180 |

罒(あみがしら)の部

| 署 | 188 |

竹(たけ)の部
⺮(たけかんむり)

筋	131
策	129
簡	130

米(こめ)の部
米(こめへん)

| 糖 | 133 |

糸(いと)の部
糹(いとへん)

系	212
紅	206
純	209
納	207
絹	208
縦	211
縮	210

羽(はね)の部

翌	108

耳(みみ)の部

聖	46

肉(にく)の部
月(にくづき)

胃	100
背	103
肺	98
胸	97
脳	96
腸	101
腹	99
臓	102

至(いたる)の部

至	107

舌(した)の部

舌	43

虫(むし)の部

蚕	111

血(ち)の部

衆	37

衣(ころも)の部
衤(ころもへん)

裁	200
装	198
補	199
裏	201

臣(しん)の部

臨	39

見(みる)の部

視	36
覧	38

言(げん)の部
訁(ごんべん)

討	48
訪	49
訳	57
詞	50
誠	51
誤	52
誌	55
認	54
諸	53
誕	58
論	56
警	59

貝(かい)の部

貴	113
貸	112

金(かね)の部
釒(かねへん)

針	176
銭	177
鋼	178

門(もんがまえ)の部

閉	140
閣	141

隹(ふるとり)の部

難	110

革(かわ)の部

革	106

頁(おおがい)の部

頂	33

骨(ほね)の部

骨	104

下村式 はやくりさくいん®

❶ 読みや画数がわからなくても、「型」と「書きはじめ(書き順の一画め)」を手がかりに漢字をさがすことができます。型ごとに、書きはじめでわけた漢字を、画数の少ない順にならべ、画数が同じものは、音読みの五十音順にならべてあります。

3つの型	■左右型	たてのまっすぐな線、またはへん・つくりなどで、左右にわけられる（川、休など）
	■上下型	よこのまっすぐな線、またはかんむり・あしなどで、上下にわけられる（六、草など）
	■その他型	左右にも上下にもわりづらい（耳、夕など）

4つの書きはじめ	一（よこぼう）	書きはじめが 一（十、木など）
	丨（たてぼう）	書きはじめが 丨（目、口など）
	ノ（ななめぼう）	書きはじめが ノ（休、竹など）
	丶（てん）	書きはじめが 丶（空、音など）

❷ 型や書きはじめをまようものも、さがせるようになっています。本文にある型とちがうものや、書きはじめをまちがえやすいものは、赤字でしめしてあります。

❸ 数字は、その漢字がのっているページです。

■左右型

一（よこぼう）

机	116
批	68
拡	70
承	62
担	71
拝	73
枚	118
砂	174
株	117
降	166
除	169
班	202
陛	167
域	181
捨	69
推	67
探	74
頂	33
揮	72
勤	105
敬	82
棒	122
預	34
穀	132
磁	175
障	168
模	119
権	115
樹	120
操	66
糖→てん	133
難	110
臨→たてぼう	39

253

｜（たてぼう）

- 収 ... 79
- 吸 ... 41
- 呼 ... 40
- 映 ... 155
- 降→よこぼう ... 166
- 除→よこぼう ... 169
- 将 ... 80
- 陸→よこぼう ... 167
- 晩 ... 153
- 暖 ... 156
- 障→よこぼう ... 168
- 劇 ... 192
- 臨 ... 39

ノ（ななめぼう）

- 仁 ... 15
- 幼 ... 205
- 私 ... 134
- 乱 ... 203
- 卵 ... 114
- 供 ... 16
- 乳 ... 27
- 紅 ... 206
- 段 ... 81
- 肺 ... 98
- 律 ... 85
- 胸 ... 97
- 射 ... 78
- 従 ... 86
- 純 ... 209
- 針 ... 176
- 値 ... 18
- 納 ... 207
- 俳 ... 17
- 秘 ... 135
- 俵 ... 19

郷 ... 171

- 脳 ... 96
- 郵 ... 170
- 欲 ... 25
- 創 ... 190
- 絹 ... 208
- 傷 ... 20
- 腸 ... 101
- 腹 ... 99
- 疑 ... 32
- 銭 ... 177
- 鋼 ... 178
- 縦 ... 211
- 縮 ... 210
- 優 ... 21
- 臓 ... 102

丶（てん）

- 沿 ... 161
- 刻 ... 193
- 洗 ... 162
- 派 ... 159
- 将→たてぼう ... 80
- 討 ... 48
- 朗 ... 157
- 済 ... 160
- 視 ... 36
- 訪 ... 49
- 訳 ... 57
- 割 ... 191
- 詞 ... 50
- 就 ... 64
- 補 ... 199
- 源 ... 165
- 誠 ... 51
- 誤 ... 52
- 誌 ... 55
- 認 ... 54
- 諸 ... 53
- 誕 ... 58
- 潮 ... 163
- 敵 ... 83
- 論 ... 56
- 激 ... 158
- 糖 ... 133

上下型

一（よこぼう）

尺	75
孝	24
否	42
若	125
届	29
専	77
奏→その他型	63
背	103
蚕→その他型	111
展	30
盛→ななめぼう	186
著	126
翌	108
蒸	127
聖	46
幕	204
層	139
暮	154
蔵	128
奮	109
覧→たてぼう	38
警	59

｜（たてぼう）

忠	90
胃	100
恩	91
骨→その他型	104
党	84
異	61
貴	113
装	198
署	188
盟	105
覧	38

ノ（ななめぼう）

舌→その他型	43
系→その他型	212
皇	197
泉	164
盛	186
筋	131
策	129
賃	112
簡	130

、（てん）

亡→その他型	187
穴	179
宇	143
宅	146
忘	92
宗	142
宙	144
並→その他型	14
宝	145
姿	22
宣	147
染	123
窓	180
密	148
善	45
装→たてぼう	198
尊	60
痛→その他型	31
裏	201
熟	183
憲	93
厳	152

その他型

一(よこぼう)
干	195
己	26
寸	76
尺→上下型	75
灰	182
至	107
存	23
孝→上下型	24
承→左右型	62
届→上下型	29
革	106
専→上下型	77
奏	63
退	89
蚕	111
展→上下型	30
裁	200
層→上下型	139
樹→左右型	120

｜(たてぼう)
冊	194
困	151
骨	104
閉	140
署→上下型	188
閣	141
遺	88

ノ(ななめぼう)
片	124
処	184
危	28
后	44
舌	43
我	196
系	212
延	87
垂	138
看	35
泉→上下型	164
衆	37

、(てん)
亡	187
穴→上下型	179
庁	149
宇→上下型	143
宅→上下型	146
券	189
宙→上下型	144
並	14
宝→上下型	145
巻	65
退→よこぼう	89
座	150
密→上下型	148
尊→上下型	60
痛	31
遺→たてぼう	88
厳→上下型	152

クイズのこたえ

25ページ…③	42ページ…①	43ページ…①	46ページ…皇
51ページ…②	53ページ…①	57ページ…警	62ページ…②
63ページ…③	67ページ…奮	68ページ…②	73ページ…①
76ページ…舌	83ページ…②	90ページ…③	92ページ…①
97ページ…①	103ページ…③	104ページ…③	108ページ…障
115ページ…①	116ページ…①	119ページ…①	122ページ…①
124ページ…②	131ページ…③	134ページ…②	138ページ…③
141ページ…簡	153ページ…①	171ページ…①	174ページ…③
176ページ…③	177ページ…①	179ページ…②	180ページ…誌
184ページ…①	185ページ…盛	190ページ…②	196ページ…②
203ページ…①	206ページ…幼	208ページ…胃	209ページ…①

漢字ファミリー分類表

下村式の漢字学習では、漢字を「なりたち」の意味から、人体①〜⑤・動物・植物・住居・自然・道具・服飾・その他の計12の「漢字ファミリー」にわけて学びます。

漢字ファミリーのシンボルマーク

人体　動物　植物　住居　自然　道具　服飾　その他

「漢字ファミリー分類表」は、小学校でならう漢字1026字を、漢字ファミリーごとにまとめて、ならべたものです。漢字の下の数字は、ならう学年です。色のついた数字は、この本にでてくる漢字です。

＊学年をこえて、なりたちを優先したので、本文とは順番がかわっています。

こんなふうに　つかってみよう

ほかの学年では、おなじ漢字ファミリーのどんな漢字を学んだか、また、これからどんな漢字を学ぶのか、思いだしたり、たしかめたりすれば、学習が深まるでしょう。

人体① 全身（人の全身の形からできた字）

大	太	天	立	並	夫	失	央	交	文	幸	報	要	人	以
1	2	1	1	6	4	4	3	2	1	3	5	4	1	4
似	休	体	仏	伝	仁	仕	任	何	代	他	付	仲	仮	件
5	1	2	6	4	6	3	5	2	3	3	4	4	5	5
作	位	住	信	倍	低	供	使	便	例	側	価	値	係	保
2	4	3	4	3	4	6	3	4	4	4	5	6	3	5
候	修	借	個	俵	俳	優	健	停	備	働	佐	傷	像	億
4	5	4	5	6	6	6	4	5	5	4	4	6	5	4
聖	化	北	比	后	司	身	女	母	妻	姿	委	姉	妹	婦
6	3	2	5	6	4	3	1	2	5	6	3	2	2	5
好	始	媛	子	育	児	字	学	存	季	孫	乳	長	老	考
4	3	4	1	3	4	1	1	6	4	4	6	2	4	2
孝	欠	歌	次	欲	屋	届	展	病	痛	己	丸	巻	包	色
6	4	2	3	6	3	6	6	3	6	6	2	6	4	2
局	居	危	印	今	令	会	合	食	飲	飯	飼
3	5	6	4	2	4	2	2	2	3	4	5

人体② 頭 (人の頭や顔の形からできた字)

首2	真3	面2	頭2	顔2	額5	頂6	順4	預6	領5	題3	類4	願4	目1	見1	看6
省4	直2	眼5	相3	覚4	覧6	規5	視6	親2	観4	臣6	臨6	衆6	夢5	民4	口1
品3	名1	各4	君3	告5	古2	否6	喜5	号3	句5	可5	味3	呼6	唱4	和3	
命3	周4	問3	商3	舌6	辞4	歯3	自2	鼻3	耳1	職5	聞2	言2	音1	話2	語2
読2	説4	評5	討6	論6	認6	識5	講5	議4	記2	訳6	詩3	詞6	誌6	訓4	設5
訪6	証5	談3	試4	誠6	課4	計2	許5	謝5	調3	誤6	諸6	誕6	警6	護5	競4
善6															

人体③ 手 (人の手の形からできた字)

手1	挙4	公2	友2	指3	持3	投3	打3	拾3	捨6	拝6	折4	技5	招5	授5	採5
探6	操6	批6	拡6	担6	接5	推6	提5	揮6	損5	共4	具3	異6	興5	弁5	奏6
承6	尊6	有3	右1	左1	差4	尺6	反3	収6	取3	最4	受3	寸6	寺2	将6	専6
導5	対3	射6	就6	改4	放3	故5	政5	教2	数2	敗4	救5	散4	敬6	敵6	整3
段6	殺5	支5	争4	史5	書2	事3									

人体④ 足 (人の足の形からできた字)

足1 路3 止2 正1 出1 歩2 歴5 疑6 夏2 発3 登3 先1 元2 兄2 光2 党6

走2 起3 行2 街4 術5 衛5 往5 復5 径4 役3 後2 待3 徒4 従6 律6 得5

徳4 道2 通2 進3 遠2 近2 週2 過5 遊3 迷5 返3 逆5 達4 追3 退6 連4

速3 運3 送3 述5 辺4 選4 造5 適5 遺6 帰2 建4 延6

人体⑤ その他 (人の体の中やうての形からできた字)

心2 思2 意3 念4 想3 感3 応5 急3 息3 志5 忠6 恩6 愛4 悲3 悪3 態5

忘6 憲6 快5 性5 情5 慣5 肉2 胃6 背6 脳6 胸6 肺6 腹6 腸6 臓6 脈5

肥5 骨6 死3 残4 力1 協4 加4 助3 動3 功4 効5 勤6 勉3 労4 努4 勇4

勢5 務5 勝3

動物 (動物の形からできた字)

犬1 状5 犯5 独5 牛2 半2 物3 牧4 特4 羊3 美3 着3 義5 養4 群4 馬2

駅3 験4 象5 鳥2 鳴2 集3 難6 雑5 羽2 習3 翌6 飛4 非5 毛2 巣4 弱2

西2 不4 至6 奮6 虫1 蚕6 魚2 貝1 員3 負3 買2 売2 責5 費5 貴6 賞5

賛5 賀4 貿5 貨4 貸5 賃6 資5 質5 貧5 貯5 財5 角2 解5 皮3 求4 革6

卵6 易5 属5 県3 能5 熊4 鹿4

植物（草や木の形からできた字）

木1	林1	森1	本1	末4	束4	栄4	案4	条5	染6	梨4	査5	乗3	松4	梅4	桜5
村1	校1	株6	根3	枝5	樹6	植3	材4	板3	枚6	柱3	棒6	札4	机6	検5	格5
模6	権6	標4	構5	横3	様3	橋3	機4	械4	極4	栃4	片6	版5	未4	果4	由3
草1	芽4	菜4	花1	英4	落3	葉3	薬3	苦3	若6	芸4	茶2	蒸6	荷3	著6	蔵6
茨4	才2	生1	産4	毎2	毒4	垂6	平3	青1	静4	竹1	笑4	笛3	管4	筆3	箱3
節4	筋6	答2	算2	策6	第3	等3	簡6	築5	米2	粉4	精5	糖5	秋2	秒3	移5
程5	税5	積4	種4	穀6	科2	私6	秘6	香4	麦2	来2	年1	者3			

住居（家の形からできた字）

門2	戸2	間2	開3	閉6	関4	閣6	京2	高2	向3	倉4	舎5	余5	館3	営5	家2
宅6	宮3	官4	宣6	室2	宿3	客3	寄5	定3	実3	宝6	富4	守3	安3	容5	完4
害4	宇6	宙6	宗6	察4	密6	写3	庫3	店2	広2	底4	庭3	度3	府4	庁6	序5
座6	康4	層6	囲5	図2	国2	園2	団5	因5	困6	固4	円1	市2			

自然（山や川などの自然の形からできた字）

晴2	時2	幹5	暮6	暑3	昼3	昔3	暴5	景4	星2	早1	春2	東2	旧5	白1	日1
多2	夕1	望4	朗6	期3	朝2	明2	月1	曜2	暖6	晩6	昨4	映6	昭3	暗3
河5	湖3	池3	永5	水1	州3	川1	気1	電1	申3	雲2	雪2	雨1	夜2	外2
消3	注3	汽2	減5	活2	油3	液5	湯3	温3	潮6	波3	洋3	海3	流3	源6	漢3
潔5	清4	満4	浅4	深3	港3	漁4	演5	混5	泣4	沿6	浴4	洗6	泳3	派6
冬2	冷4	氷3	回2	谷2	原2	泉6	準5	滋4	潟4	沖4	測5	済6	決3	治4	法4
降6	防5	陸4	限5	陽3	院3	階3	阜4	崎4	岐4	岡4	島3	岸3	岩2	山1	寒3
砂6	石1	郵6	郷6	部3	郡4	都3	厳6	厚5	阪4	際5	障6	陛6	隊4	険5	除6
田1	録4	鏡4	銭6	針6	鋼6	鉱5	鉄3	銅5	銀3	全3	確5	破5	研3	磁6
空1	穴6	内2	入1	野2	里2	博2	農3	画2	番2	留5	町1	界3	男1	畑3
均5	域6	城5	境5	場2	坂3	地2	墓5	基5	堂5	型4	在5	圧5	土1	窓6	究3
熱4	然4	照4	黒2	燃5	焼4	灯4	黄2	赤1	災5	炭3	灰6	火1	埼4	塩4	増5
														無4	熟6

道具 (道具や武器の形からできた字)

皿3	血3	益5	盛6	盟6	酒3	配3	酸5	区3	医3	去3	丁3	曲3	器4	豆3	豊5
示5	祭3	禁5	票4	奈4	神3	社2	祖5	礼3	祝4	福3	良4	料4	量4	重3	置4
罪5	署6	刀2	切2	分2	券5	列3	利4	別4	刷4	副4	則5	判5	制5	刻6	創6
割6	劇6	干5	単4	刊5	式3	武5	我6	戦4	王1	皇6	父2	兵4	士5	新2	断5
所3	成4	弓2	引2	強2	張5	矢2	知2	短3	旅3	族3	旗4	師5	声2	南2	楽2
業3	船2	航4	服3	前2	方2	車1	軍4	転3	軽3	輪4	輸5	両3	弟2	必4	久5
用2	同2	再5	冊6	典4	工2	亡6	予3	氏4	井4	午2	台2	処6	主3	耕5	章3
童3															

服飾 (糸や布の形からできた字)

糸1	細2	紀5	経5	線2	縦6	続4	組2	結4	練3	約4	純6	給4	納6	統5	総5
縮6	織5	績5	編5	級3	綿5	絹6	紙2	絵2	紅6	緑3	絶5	終3	縄4	系6	素5
幼6	率5	変4	布5	希4	席4	帯4	常5	幕6	帳3	衣4	表3	裏6	初4	複5	補6
製5	装6	裁6	卒4	玉1	球3	理2	現5	班6	形2	参4	乱6				

その他 (数や点などをあらわす字)

| 一1 | 二1 | 三1 | 四1 | 五1 | 六1 | 七1 | 八1 | 九1 | 十1 | 百1 | 千1 | 万2 | 兆4 | 世3 | 小1 |
| 少2 | 当2 | 点2 | 上1 | 中1 | 下1 | | | | | | | | | | |

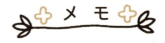

おうちのかたへ

下村　昇

　子どもに漢字を楽しく学ばせるコツは、じつは漢字が本来もっているおもしろさを伝えることです。下村式で覚えた子どもたちは、漢字が好きになります。なぜなら、漢字は小さな部品の組み合わせでできていて、そのことを知ると、学年が進んで難しい漢字が出てきても、書き順も楽に、そして正しく覚えられるようになるからです。この本には、これまでの漢字の学習法にはみられない、いくつかの大きな特色があります。

＊字典ではなく、漢字入門の絵本です
　調べるための字典ではなく、楽しむために全体を絵本的に展開。読んでいくうちに、漢字の基本的意味が理解できます。

＊"識字欲"を刺激する「漢字ファミリー」
　なりたちのパターンを基本に、関連のある漢字をグループにまとめて「漢字ファミリー」に分け、その順に漢字をならべました。漢字学習にもっとも効果的と考えられる配列になっています。

漢字ファミリーのシンボルマーク

人体　　動物　　植物　　住居　　自然　　道具　　服飾　　その他

＊漢字の「なりたち」が基本です
　漢字をもともとの絵にもどして、わかりやすく、さらに興味深く漢字の意味を理解できるようにしました。漢字によっては、新字体となって形が変わっているものや、なりたちにさまざまな説があるものもありますので、子どもに興味や関心をもたせる観点から、理解しやすく、覚えやすい形で表現・創作してあります。

＊リズムにのった「となえかた」で漢字をイメージ化
　独自の下村式の「口唱法®」で、唱えながら筆順が覚えられます。

＊音・訓よみの例文が、理解と応用を助けます

それぞれのよみの的確な例文を収録。漢字の理解だけでなく、文章力をつける手助けにもなります。

以上が、この『となえて　おぼえる　漢字の本』（学年別／全6巻）の特色です。本文をちょっと読んでください。まったく新しい発想とアイデアでつくられた、字典ではなく「楽しい読み物としての漢字の本」であることがわかっていただけると思います。「漢字ファミリー」に注目しながら、全学年を通して読むと、いっそう漢字への理解が深まります。

なお、この『となえて　おぼえる　漢字の本』にもとづき、「口唱法」による漢字の書き方の練習や、ストーリー性のある例文で漢字の生きた使い方の学習ができる『となえて かく 漢字練習ノート』（学年別／全6巻）と併用すると、さらに学習が深まります。

── 改訂版によせて ──

本書は、1965年に出版された『教育漢字学習字典』（下村昇編著・学林書院刊）を底本として、その約10年後の1977年に誕生しました。

子どもたちが従来の勉強方法から脱却し、なんとか楽しく、能動的・積極的に漢字の学習に身を乗りだしてくれるようにしたいという願いからつくったのですが、「口唱法」という体系的な指導法を創出するのに、最初の『教育漢字学習字典』を上梓してから、実証実験におよそ10年がかかったのです。その間、秋田県・茨城県をはじめ、諸所の国語研究会の先生方に実践検証のために多くのお力をいただきました。

こうして、授業や家庭でも効果が実証された下村式の漢字学習法・口唱法の内容に、楽しい挿絵を絵本作家のまついのりこさんに描いていただき、できあがったのが本書です。数度の改訂を経て、今回新たな学習指導要領に沿った『漢字の本』ができあがりました。

こんなにも長く愛される本になるとは、著者である私も驚いています。そして今では、「親子二世代この本で漢字を学びました」という声を聞いたり、小学生のみならず、幼児にも読まれているという話も聞いたりしております。大変うれしいことです。新しくなった『漢字の本』が、これから漢字を覚えるみなさんのお役に立てることを祈っています。

『となえて おぼえる 漢字の本』をつくった人

●下村 昇（しもむら・のぼる）
1933年、東京生まれ。東京学芸大学卒業。小学校教諭、東京都教科能力調査委員、全国漢字漢文研究会理事などを経て、「現代子どもと教育研究所」所長。『下村式 となえて かく 漢字練習ノート（学年別／全6巻）』（偕成社）、『ドラえもんの学習シリーズ（内5巻）』（小学館）、『下村式 漢字の教え方』（クリロンワークショップ画空間）など、漢字・国語関連書や児童文学など、著書多数。

●まつい のりこ
1934年、和歌山生まれ。武蔵野美術大学卒業。自分の子どもに作った手づくり絵本をきっかけに、物語性のある知識絵本や、観客参加型の紙芝居を発表。絵本『ころころぽーん』で1976年、ボローニャ国際児童図書展エルバ賞、紙芝居『おおきくおおきくおおきくなあれ』で1983年、五山賞を受賞。『じゃあじゃあびりびり』（偕成社）など、著書多数。2017年逝去。

編集協力＝本多慶子・川原みゆき
改訂協力＝下村知行・日本レキシコ・ニシ工芸
なりたち図版協力＝刑部佐知子
装丁＝ニシ工芸（小林友利香）

ご注意●この『となえて おぼえる 漢字の本』の全体および各部分は著者独自の創作です。漢字の〈なりたち〉・〈となえかた〉等を複製することは著作権法により禁止されています。また、「となえて おぼえる」および「口唱法」は登録商標です。

となえて おぼえる 漢字の本 小学6年生 改訂4版

下村 昇＝著／まつい のりこ＝絵

1978年1月初　　版1刷	1989年9月初　　版62刷
1990年3月改　訂　版1刷	2000年2月改　訂　版33刷
2002年2月改訂2版1刷	2009年2月改訂2版8刷
2012年2月改訂3版1刷	2018年1月改訂3版2刷
2019年2月改訂4版1刷	

発行者 今村正樹　**印刷** 大昭和紙工産業　**製本** 難波製本
発行所 偕成社　〒162-8450　東京都新宿区市谷砂土原町3-5
©1978 Noboru SHIMOMURA, Noriko MATSUI　　Printed in Japan
ISBN978-4-03-920560-5　　NDC811　268p.　19cm
※落丁・乱丁本は、おとりかえいたします。